PLACE AU THÉATRE

Suzanne EBEL

PLACE AU THÉATRE

(Music in winter)

LES EDITIONS MONDIALES
2, rue des Italiens — Paris-9e

ISBN n° 2-7074-1378-X

CHAPITRE PREMIER

Assise dans un coin du compartiment presque vide, elle regardait la pluie descendre le long des vitres, comme des larmes.

Les villes et la campagne qui défilaient étaient détrempées. Une affreuse journée ! Mais Rosalind ne se souciait pas du mauvais temps. Elle en était même presque satisfaite.

Il valait mieux voir les choses sous leur pire aspect pour commencer. Si elle avait voyagé par un de ces merveilleux jours d'hiver, au ciel bleu ensoleillé, elle aurait risqué de se laisser aller à trop d'optimisme. Elle aurait espéré pour son arrivée à Stonebridge que tout serait en harmonie avec ce ciel : par exemple, un patron charmant et compréhensif, des acteurs amicaux et d'humeur égale, et des représentations sans catastrophe... Et elle, Rosalind Matthiews, aurait été la meilleure assistante de régie qu'ils aient jamais pu rêver !

Vision grotesque et bien peu réaliste...

Il valait beaucoup mieux regarder tomber la pluie en se félicitant de n'avoir pas oublié son imperméable.

Elle s'appelait Rosalind à cause de la jeune héroïne de la pièce de Shakespeare : « *COMME IL VOUS PLAIRA*. » Mais on l'avait rebaptisée Roz dès sa naissance. Elle était la fille d'un acteur et ses amies avaient toutes des noms aussi évocateurs que Cornélia, ou Natacha. Une pauvre malheureuse avait même été nommée Sisbé...

Roz était plutôt mince, pas très grande, avec un visage rond. Pas du tout un physique d'actrice. Ses cheveux blond foncé étaient coupés en frange épaisse très bas sur le front et le reste tirebouchonnait sur ses joues.

Dans les moments de nervosité, elle en mordillait une mèche.

Roz était réputée comme très consciencieuse dans son travail. Les grands yeux, hérités de son père, s'arrondissaient parfois exagérément, non pas de joie ou de chagrin, mais quand elle avait oublié quelque chose d'important.

« Mais, c'était vital ! » grognait-elle alors. Et comme le rôle d'une assistante de régie est fait de petits détails, l'obsession des choses « vitales » était la partie pénible de sa vie.

Quand un garçon, lancé dans une déclaration enflammée, l'entendait dire : « Ciel, où est ma liste ? », il était assez peu satisfait... Dans son sac ou dans sa poche, ou fichée dans le cadre d'un miroir, la liste jouait un rôle important dans la vie de Roz.

Aujourd'hui, elle n'avait rien à noter de « vital ». C'était merveilleux d'aller au devant d'un nouveau job. Et quel job ! Assistante permanente de Régie à « LA COMEDIE » de Stonebridge. Un vrai travail : pas un simple remplacement pour l'été.

Appuyée aux coussins, avec la pluie tombant en perles d'argent sur les vitres du wagon, elle pensait comme il était curieux d'aller travailler dans le Nord, un endroit où elle ne connaissait personne. Pas même — ou si peu — l'oncle qui lui avait fait obtenir le poste. Elle ne l'avait pas revu depuis sa petite enfance. Jusque-là, les emplois qu'elle avait occupés avaient toujours eu quelque lien entre eux. Un directeur qui avait été content d'elle la signalait à un confrère. Ainsi, elle retrouvait parfois, dans un autre théâtre, des acteurs qu'elle avait déjà connus ailleurs. Elle avait toujours vécu très entourée : partageant une chambre un jour avec une amie, vivant à d'autres moments dans un appartement emprunté. Parfois sans travail et aidée par des camarades qu'elle aidait à son tour quand elle était dans une bonne période.

Elle avait laissé tous ses souvenirs derrière elle quand elle était montée dans le train, à Londres. Comme elle avait laissé son camarade Charles Summers. C'était un acteur, et le plus grand ami de Roz, ces derniers mois. Il la considérait comme son meilleur public, sa confidente, la personne qui comprenait le mieux ses problèmes, et, aussi, celle qui l'écoutait réciter ses rôles et le nourrissait de spaghettis quand il avait faim.

Il adorait manger et avait très bon appétit. Aussi Roz était-elle plutôt soulagée quand il partait en tournée. Ils s'étaient séparés sans larmes.

— Je ne te fais pas de promesses, avait-il dit en l'embrassant.

Roz avait trouvé que c'était très bien ainsi.

Maintenant, tout allait être différent. Elle aurait un vrai travail et habiterait, pour le moment, chez le frère de sa mère, Arthur, qui vivait à Stonebridge. C'était lui dont elle avait reçu une lettre imprévue, pour lui proposer ce travail.

Il avait lui-même organisé son rendez-vous à Londres et Roz y avait été très sensible.

« Pourvu seulement que je le reconnaisse..., pensait-elle maintenant.

Le paysage avait commencé à changer : il était plus sombre, plus austère. Les villes qu'on traversait étaient grises, et quelques cheminées d'usines pointaient dans le lointain, plus hautes que les collines qui se dessinaient à l'horizon.

Bercée par le bruit du train, elle s'endormit et faillit rater la station. Elle fit dégringoler ses bagages du filet en entendant crier : Stonebridge ! et se précipita sur le quai. Une foule énorme de travailleurs qui regagnaient leurs foyers encombraient la gare, et elle eut du mal à se faufiler jusqu'au contrôle, un bagage dans chaque main.

— Ticket, s'il vous plaît.

— Oh ! Oui. Pardon. Un instant.

Le contrôleur n'avait pas l'air d'un homme attendri par une fille qui bouche le passage à tout le monde. Roz fouillait hâtivement son sac, anxieuse à l'idée qu'il lui faudrait peut-être payer une seconde fois ce long et coûteux voyage. Elle n'était même pas sûre d'avoir assez d'argent pour çà...

— Regardez dans votre poche ! dit une voix toute proche.

C'était un garçon qui, près d'elle, la regardait

avec curiosité, mais sans marquer de particulière sympathie. Il n'était pas très grand, râblé, avec des cheveux sombres.

— Je mets souvent mon ticket dans ma poche, expliqua-t-il

Soulagement ! Le ticket était dans l'imperméable.

Le contrôleur prit le petit carton d'un air peu aimable et Roz voulut attraper ses valises. Mais le jeune homme s'en était déjà emparé. Il l'entraîna hors de la gare.

— Où est la station d'autobus ? demanda-t-elle poliment.

— C'est trop lourd. Il vous faut un taxi.

— Je me débrouillerai. Merci.

— Un taxi sera mieux.

Rosalind espéra qu'il allait la laisser. Il n'était pas mal, cependant, ce garçon, à sa manière assez rude. Il avait à peine sans doute une trentaine d'années, mais déjà son visage était marqué de quelques rides. Il aurait pu être un mineur dans un tableau réaliste. Un homme physiquement solide et qui savait se servir aussi de la force intérieure dont on le sentait habité. Il avait des yeux bleu foncé sous des cils étonnamment épais et longs. Mais, le regard pas particulièrement amical...

Roz perdit le léger intérêt que lui inspirait son compagnon quand elle pensa soudain, avec un battement de cœur, qu'elle ne pouvait se souvenir de ce qu'elle avait fait de l'adresse de son oncle. Dans sa valise ou dans les papiers qu'elle avait glissés dans son nécessaire de toilette, pendant que Charles palabrait sans fin sur sa prochaine tournée ?

Elle aurait l'air intelligent si elle était obligée d'aller consulter l'annuaire du téléphone... Il fallait se débarrasser de ce garçon qui l'empêchait de penser tranquillement.

Ils venaient d'arriver devant la pancarte marquée : Taxis.

— Il n'y en a pas un en station, grogna le jeune homme.

— J'attendrai. Je ne suis pas pressée. Merci.

— Vous êtes sûre que çà ira ?

Avec un regard qui indiquait qu'il n'était pas entièrement satisfait de la situation, il posa les valises et la quitta. Elle le regarda s'éloigner, silhouette massive et rassurante. Soulagée, alors, elle fit de soigneuses recherches dans son sac à main. Pas de lettre. Elle devait être dans le nécessaire de toilette.

Il n'y avait toujours pas de taxi en vue. Les alentours de la gare étaient maintenant déserts. Comme elle jetait un regard autour d'elle, elle vit une voiture de sport noire s'arrêter à sa hauteur.

— Toujours là ?

C'était de nouveau le jeune homme. Elle souhaitait qu'il aille au diable !

— Je me suis juste souvenu à l'instant qu'il y avait un bal à l'Hôtel de Ville. Alors, tous les taxis sont par là. Puis-je vous mener quelque part ?

Roz remercia, mais tout allait bien. Merci. Elle continua à protester pendant qu'il empilait ses valises dans le coffre de sa voiture en demandant :

— Alors ? Où allons-nous ?

— Eh bien... Un moment, s'il vous plaît, bredouilla Roz, pour la seconde fois de la soirée.

Elle posa le nécessaire sur son genou. Le jeune homme attendait, avec une expression assez proche de celle du contrôleur. Je suppose « qu'ils » n'oublient jamais rien, pensait Roz, fouillant, exaspérée, dans le fatras des crèmes à démaquiller, des clés, des photos et des mouchoirs.

Le nécessaire glissa. Elle fit un effort désespéré pour éviter la chute. Hélas ! Tout dégringola.

— Oh ! Zut !

Elle se baissa précipitamment pour ramasser ses biens éparpillés, soudain furieuse : contre la boue qui avait sali ses photos, cette ville qui ne pouvait même pas fournir un taxi, contre le garçon qui lui tendait son crayon à sourcils...

— Est-ce que ce ne serait pas çà que vous cherchez ?

Il venait de ramasser une enveloppe dont un morceau de lettre dépassait. L'adresse de son oncle y était inscrite à l'encre noire, en gros caractères.

— Comment avez-vous deviné ? Merci beaucoup.

Mais elle ne se sentait pas le moins du monde reconnaissante. Il l'installa dans la voiture sans répondre, et démarra.

Faisant un effort pour oublier son irritation, Roz regardait la ville dans la nuit tombante. Les lumières des magasins se reflétaient sur le pavé mouillé. Un des bâtiments lui parut de style géorgien. Ils dépassèrent une rangée de petites boutiques démodées, puis débouchèrent dans la partie moderne.

— Curieux mélange, dit le conducteur. Le

style 1970 côtoie 1870. Ce type-là, sur le trottoir, en pardessus gris, c'est, en quelque sorte, notre philosophe local. Josué Palmer. Je ne crois pas qu'il approuve les changements qui se font dans notre ville.

Roz demanda si son œuvre était importante.

— On le dit. En tout cas, il a gagné pas mal d'argent avec, c'est sans doute une preuve...

Il avait dit cela avec un grand rire et elle entendit pour la première fois le dur accent local.

Ils avaient quitté la ville et pris une route montante bordée d' agréables villas modernes au fond de leur petit jardin. Roz se demandait si son oncle habitait par là. Elle ne lui avait pas rendu visite depuis une bonne dizaine d'années et ne s'en souvenait pratiquement pas. Sauf les petits cadeaux de Noël qu'il lui adressait rituellement, il lui était aussi étranger que sa ville.

Le garçon n'avait pas posé de questions et elle était enchantée de ce manque d'intérêt. Il vira dans une allée qui longeait ce qui semblait être un parc.

— C'est un parc ?

— Les environs d'un ancien château. Du bâtiment, il ne reste que quelques ruines mais nous en sommes tous très fiers. Un endroit bien agréable pour les amoureux. C'est plus sympathique au printemps. Qu'est-ce qui ne l'est pas, du reste ?

La longue terrasse géorgienne était faite des pierres du pays, grises comme le ciel. Les maisons, au fond de leurs jardins, avaient un charmant aspect désuet. Une volée de marches y menait. Et, soudain, Roz sut quelle était la maison de son oncle. Elle se souvint en avoir escaladé l'escalier, avec son père. Le visage riant, animé, de l'acteur lui revint en mémoire. La voix splendide également. Elle eut un serrement de cœur.

Elle se demanda si la maison de son oncle Arthur lui ressemblait. Grise et distinguée. Et la plupart des fenêtres fermées.

Accompagnée du garçon, elle gravit les marches, tira la sonnette et pensa qu'il était temps qu'elle lui dise au revoir et lui fasse ses remerciements.

Elle se demanda pourquoi cela lui paraissait difficile. Eh bien ! c'est que son compagnon donnait l'impression de l'avoir prise, en quelque sorte, sous son aile, et n'avait pas l'intention de l'abandonner là, avant de la savoir en sécurité à l'intérieur de la villa. Charles, songeait-elle, aurait simplement déposé les valises et filé à toute vitesse. Est-ce que les hommes du Nord étaient plus protecteurs pour les femmes que ceux qu'elle avait connus jusqu'à présent ? Ou peut-être, celui-là pensait-il qu'elle n'était pas capable de se débrouiller seule ?

Elle sonna une seconde fois.

— Il semble que votre ami soit absent.

— C'est mon oncle.

— Tiens ? Je ne savais pas qu'Arthur avait encore de la famille.

— Oh ! Vous le connaissez ?

— Tout le monde connaît Arthur Ford. Il est, comme Josué Palmer, une de nos célébrités locales. Sonnons encore.

Mais aucune lumière ne se montra à travers les volets et personne n'ouvrit la porte.

— J'ai écrit. Il m'attend, dit Roz, au bout d'un moment.

— Excusez-moi, mais... avez-vous donné la date exacte ?

Elle était trop déprimée, trop ennuyée pour se fâcher. En silence, elle lui tendit la lettre de son oncle.

Il jeta un coup d'œil sur les premières lignes et la lui rendit, tout en faisant remarquer que cela ne ressemblait pas à Arthur d'oublier quelque chose. Il méritait une confiance absolue. Solide comme un roc, ajouta-t-il.

— Je n'en doute pas.

Alors, il éclata de rire. Mais il se reprit vite et s'excusa. Il y avait quelque chose de comique, expliqua-t-il, de dire cela, en l'attendant, devant une porte fermée, à l'heure où il aurait dû recevoir sa nièce.

— Connaissez-vous quelqu'un d'autre en ville ?

— Non. Je viens ici travailler. A la Comédie.

— Ainsi, vous êtes une actrice ?

— Non. Assistante du régisseur.

Il hocha la tête. Quand vous dites que vous appartenez au théâtre, pensa-t-elle, tout le monde croit, évidemment, que vous êtes une actrice. Et cela impressionne...

— Avez-vous envie que je vous accompagne jusqu'au théâtre ?

Il avait vu le coup d'œil qu'elle venait de jeter à sa montre, et pensé qu'il lui tardait de se présenter au travail.

— Vous pourriez laisser vos bagages à la loge. Le gardien, Eddy, vous trouvera un taxi plus tard. C'est un très brave type. Il vous plaira.

Ils revinrent vers l'allée où la voiture était garée.

— Vous semblez connaître tout le monde, à Stonebridge, dit la jeune fille.

— Presque tout le monde, oui.

Il la ramena en ville, vira sur une place pavée qui devait être le marché, entourée de stalles couvertes qui semblaient enfoncées dans le mur comme des trous de taupe.

— C'est ici qu'on vendait la laine de moutons, autrefois. Maintenant ce sont des légumes, des fruits. Et, de l'autre côté, pour lui tenir compagnie, voilà votre théâtre. La vieille Comédie.

Roz ouvrit de grands yeux. Le petit bâtiment était adorable et ridicule. Construit en briques, mais surchargé de guirlandes de plâtre, de chérubins, de masques de la comédie et de la tragédie, il était véritablement hors du temps, comme sorti d'un conte de fées.

— C'est un endroit délicieux.

— Vous trouvez ? dit son compagnon. Il me fait toujours penser à un gâteau de mariage conservé trop longtemps. Un peu abîmé. Et où est la fiancée ? demanda-t-il.

Il l'accompagna jusqu'à la porte, et s'en fut, sans attendre de remerciements. C'est seulement alors que Roz s'aperçut qu'ils ne connaissaient même pas leurs noms.

Le théâtre était agréablement chaud après la nuit froide et le portier, qui ressemblait à un valet de comédie, était en train de se faire du thé.

— Bonsoir, mademoiselle Matthiews, dit-il avant qu'elle pût parler. Vous les trouverez en pleine répétition. Je suis heureux de vous saluer.

Roz parla de ses bagages et Eddy, buvant son thé à petites gorgées, promit de les surveiller.

Avec un instinct qu'elle possédait de naissance, la jeune fille s'engagea dans un étroit passage et trouva la porte qui menait à la salle. Elle s'y glissa. L'endroit était chaud et sympathique. Il y régnait une légère odeur d'encaustique et de peinture. C'était le plus charmant petit théâtre qu'elle ait jamais vu.

Il ne devait guère contenir plus de quatre cents places, mais il était si joliment décoré ! Là encore des guirlandes, mais peintes, des chérubins tenant les appliques d'éclairage en forme de fleurs renversées, des rideaux de velours bordés de franges.

Roz en oublia sa fatigue. De la même façon, elle oublia qu'elle n'avait pas encore vu son oncle, et avait voyagé de longues heures. Elle pensa : « Voilà, je suis chez moi ! »

Les loges étaient obscures, mais la scène ruisselait de lumière crue, et deux acteurs répétaient. Leurs voix bien timbrées emplissaient la salle entière.

Une grande actrice blonde, belle, aux proportions de statue antique, occupait le centre de la scène.

« Partez immédiatement, s'exclamait-elle d'une voix affolée, terrifiée. Pressez-vous avant que mon mari nous découvre !

C'était Andrina Grant, dont Roz avait admiré les portraits dans la revue « Le Théâtre », peu de temps auparavant. Elle avait acquis une certaine célébrité à Stonebridge et dans une production au festival d'Edimbourg, quelques années plus tôt. C'était une créature magnifique, avec des yeux allongés, une bouche large, des pommettes hautes.

L'acteur, un grand garçon maigre, répliqua :

— Mais comment pourrais-je vous abandonner en péril, Beryl...

A cet endroit, Andrina s'arrêta de jouer et vint au bord de la scène, la main devant les yeux pour se protéger de la lumière trop vive.

— Ellen, est-ce qu'il faut vraiment deux « gags » verbaux se suivant immédiatement ? Je veux dire : Après Péril-Beryl, je trouve une autre consonance du même genre. C'est trop !

— C'est ainsi, chérie, dit une voix.

Ce devait être Ellen Warburton, pensa Roz. Dans la pénombre, elle pouvait distinguer vaguement une silhouette assise au premier rang des fauteuils d'orchestre, avec une petite lampe éclairant juste le texte posé devant elle sur une petite table.

Andrina sourit, montrant des dents magnifiques.

— Ne pensez-vous pas qu'on pourrait essayer la scène sans le gag de Martin, en gardant seulement le mien ?

La voix dans la salle dit fermement : « Non, chérie », et demanda que l'on continue la répétition sans perdre davantage de temps.

Avec l'obéissance quasi automatique des acteurs, Andrina retourna à sa place.

Roz se glissa dans un fauteuil vide au fond de

la salle. Il était inutile de chercher quelqu'un pour annoncer qu'elle était arrivée. Une répétition était en cours et la seule chose à faire était d'y prendre part en silence. Il y avait huit heures qu'elle n'avait pas mangé, treize depuis qu'elle s'était arrachée à ses racines londoniennes ; ses valises étaient empilées dans la loge du gardien ; elle n'avait pas d'endroit sûr pour sa prochaine nuit, mais le théâtre devait passer avant tout.

C'était ainsi qu'elle avait toujours compris ce métier. Elle retira une de ses chaussures qui la gênait un peu et regarda.

La pièce était une farce du XIXe siècle « *INTIMITE* », qui n'avait pas été représentée depuis des années. Un spectacle à trois personnages et un seul acte long. Elle se situait dans le répertoire très particulier de l'époque.

Le texte donnait à Andrina un rôle en or ! Pas plus de quelques minutes ne se passaient sans que des rebondissements fassent passer l'héroïne du rôle de très grande dame à celui de femme aux mœurs douteuses, de la richesse à la pauvreté. Les rôles masculins la servaient admirablement. C'était des acteurs athlétiques, sautant gaillardement d'une fenêtre, ou sachant se cacher rapidement dans les endroits les plus incongrus.

Roz fut impressionnée par le train donné à la production. Il était à vous couper le souffle ! Elle espéra être une assistante à la hauteur du reste de la troupe. Mâchonnant une de ses mèches, elle décida que, dès demain, elle allait faire sa nouvelle liste et l'apprendre par cœur.

La pièce touchait à sa fin. Les lumières de la

salle s'allumèrent et les acteurs, dans leurs poses
exagérées, disparurent de la vue comme s'ils avaient
été soufflés par un coup de vent. La tension disparut. Un des acteurs s'assit sur le sol et Andrina
demanda du café.

Roz parcourut toute la longueur de la salle en
direction d'Ellen Warburton. La directrice de la
Comédie l'aperçut et se leva avec un sourire
aimable.

— Vous êtes Rosalind Matthiews ? Bonjour.

Ellen Warburton était une femme d'une bonne
cinquantaine d'années, petite et ronde, avec des
cheveux tout blancs encadrant un visage intelligent et plein d'humour. Elle donnait l'impression
de quelqu'un qui sait écouter, mais qui connaît
son propre impact sur les autres.

Elle était vêtue d'une robe du même bleu fané
que les vêtements de travail dénommés « bleus »
par les Français. Avec des poches profondes, et
trop pleines. Elle avait une grosse montre sur la
poitrine, comme les infirmières.

— La pièce a l'air épatante, dit Roz un peu
timidement.

Ellen répondit qu'elle espérait qu'elle marche-
rait mais que pour l'instant, rien n'était encore au
point.

— Je ne serais pas étonnée que nous vous
fassions travailler dur à cette mise au point..., ajouta-t-elle. Avez-vous vu Nigel ? « C'est lui qui sera
votre patron, naturellement. Il est très gentil, vous
verrez.

Ellen souriait encore à Roz quand Andrina
l'aborda.

— Chère Ellen, au sujet de ces gags...

Un instant, il sembla que la directrice eût l'intention de présenter Roz à l'actrice, mais Andrina, sans en avoir l'air, parut à tel point ignorer l'arrivante que celle-ci s'écarta.

CHAPITRE II

Il était plus de minuit quand un taxi la ramena
au Dene. Elle commençait à sentir sérieusement la
fatigue et sa confiance en la présence de son oncle
chez lui avait totalement disparu.

Quand la voiture s'arrêta devant la rangée de
maisons, on ne voyait aucune lumière. Nulle part.
Le conducteur l'accompagna le long de l'allée dans
la nuit sombre.

— Pas un signe de vie, soupira Roz en son-
nant.

Le chauffeur, homme laconique, fit cependant
remarquer que la cuisine était sur l'arrière. Tout
au moins le croyait-il.

Une lumière filtra au même moment par l'imposte au-dessus de la porte d'entrée.

— Comment m'excuser, ma pauvre petite ! dit
une voix masculine, grave et bien timbrée. Chauffeur, combien vous dois-je ?

Roz fut introduite dans la maison tiède d'une
main posée sur son épaule, la porte fut refermée
et elle resta seule avec son oncle.

— Quand je pense que, par ma faute, vous

vous êtes trouvée à la descente du train devant une
maison vide, je suis navré !

« J'ai dû arriver quelques minutes après vous,
semble-t-il, d'après le coup de téléphone que Tom
Burrel m'a donné. Je suppose qu'il vous a déni-
chée à la gare. Venez maintenant, Roz, vous devez
être morte de fatigue.

L'oncle de Roz, Arthur Ford, était grand, bien
bâti et ce que l'on a coutume de désigner comme
« distingué ». Il avait un visage allongé, bien dessiné, des cheveux gris, épais et coupés court et une
barbe soigneusement taillée qui aurait pu le faire
prendre, pensait Roz, pour un amiral ou un diplo-
mate. Peut-être aussi un universitaire. Ses manières
étaient courtoises mais assez sèches. Même en
robe de chambre, il était plein de dignité.

— Votre ami ne m'a pas exactement « découverte ». Il a eu la gentillesse de me transporter : il
n'y avait pas un seul taxi à la gare. Je suis désolée
d'arriver si tard ce soir.

— Je suis au courant des horaires des gens de
théâtre, dit-il en la regardant, apitoyé. Elle avait
réellement l'air épuisé.

— Maintenant, venez voir votre chambre.

La pièce était petite mais charmante, avec
son chintz fané et son feu accueillant. Elle écouta à
peine les explications d'Arthur sur l'emplacement
de la salle de bains et le petit déjeuner, et son
espoir qu'elle dormirait remarquablement dans ce
coin très calme.

Quand il la quitta sur un dernier souhait de
bonne nuit, elle se laissa tomber sur le lit en bâil-
lant. Comme Londres lui semblait loin ! Et plus loin

encore le moment où elle avait fait ses adieux à Charles...

Elle s'endormit, bercée par le souffle du vent du nord dans la cheminée. C'était un bruit qu'elle n'avait jamais entendu depuis la dernière fois où elle avait couché dans cette chambre, à l'âge de dix ans.

*

Le lendemain, elle arriva au théâtre vers dix heures, portant son plus élégant pantalon et son pull-over favori, noir marqué sur le devant du chiffre sept.

La tête du gardien se montra à travers la porte de la loge entrebâillée.

— Bonjour, ma chère. Vous devez aller directement dans le bureau de monsieur Kettler. Il vous y attend avec Nigel.

— Déjà ?

— Les gens du Nord se lèvent tôt...

— Seigneur ! Au secours !

— Ne vous inquiétez pas, trottez, et restez vous-même, dit Eddy, galamment.

La petite lui plaisait, simple et naturelle. Il l'avait décrite à sa femme la veille : « Pas du tout comme qui tu sais..., je suis heureux de le dire »...

Deux hommes assis dans le bureau se tournèrent pour la regarder quand elle entra dans la pièce. Nigel Norton, le directeur de la régie, qui lui avait fait obtenir le poste d'assistante, lui lança un coup d'œil amical. La trentaine, un visage sympathique à l'expression éveillée, des cheveux très blonds, des taches de rousseur et des lunettes. La chose la plus frappante, chez lui, était une sorte d'élégance joyeuse, comme s'il était toujours de bonne humeur.

— Rosalind Matthiews, dit-il. Et voilà monsieur Kettler. Stanley, vous êtes devant notre nouvelle assistante de régie.

Stanley serra la main de Roz si fermement qu'elle pensa qu'il lui avait brisé au moins deux ou trois os. Si Nigel semblait presque trop élégant pour son emploi, l'aspect de Kettler indiquait très visiblement qu'il se moquait de son apparence.

Au milieu de la quarantaine, il était gros et grisonnant, avec des yeux très observateurs dans un visage fatigué. Son costume était aussi plissé qu'un accordéon, mais ses épaules étaient larges. Et il était nécessaire qu'elles le soient. C'était l'homme qui supportait tout le poids du théâtre.

Ellen l'inspirait et l'animait, mais c'était Kettler qui maintenait en état de marche cet instrument compliqué.

Il était dur, précis et responsable de tout à la Comédie, même de l'humeur d'Ellen. C'était lui qui établissait le budget des pièces jouées, pièces qui changeaient toutes les trois semaines ; lui qui connaissait les bénéfices ou les pertes que chaque spectacle occasionnait. Il payait les comédiens ainsi que tout le personnel et entendait que tout le monde fît son travail au mieux. Les ennuis et les grognements, les plaintes et les drames arrivaient tous à son bureau. Il était l'homme-orchestre, indispensable à la vie du théâtre.

— Asseyez-vous et prenez une tasse de café, dit-il.

Roz, prenant une chaise, se fit la réflexion qu'elle avait rarement vu un bureau aussi en désordre.

— Vous vous êtes déjà occupée des représentations de trois semaines ? s'enquit-il.

— Non. D'une semaine jusqu'à présent.

— Chez nous, vous aurez plus de travail.

— Je sais.

— Et vous êtes prête à faire l'effort ? demanda Nigel, taquin.

— Naturellement ! grogna Stanley répondant à la place de Roz. Sinon, que viendrait-elle faire ici ?

— Tenez, Nigel, voilà la lettre pour Andrina. Qu'elle n'oublie pas ce que je lui ai demandé. On ne peut pas tellement compter sur elle...

Il tendit le papier à Nigel en murmurant d'un air découragé :

— Ah ! Ces acteurs...

Nigel prit la lettre et promit de s'en occuper. Puis il attrapa Roz par le coude.

— A nous deux, maintenant. Au travail !

Elle fut entraînée hors de la pièce avant d'avoir terminé son café.

— Voyez le trou qui nous sert de bureau dit-il en ouvrant une porte.

En effet, la pièce était petite, mal éclairée par une étroite fenêtre aussi haut placée que dans une prison. Un placard occupait presque tout un mur. Il s'en échappait des papiers froissés, comme les rembourrages d'un vieux coussin.

— Ne regardez pas encore par là, dit Nigel. Mais il faudra tout de même vous en occuper plus tard. Ce sont des envois d'auteurs dramatiques qui n'ont jamais été retournés.

Un standard téléphonique et deux petites tables complétaient l'ameublement. Roz pouvait reconnaître celui de Nigel à première vue. Il était aussi net et bien tenu que lui-même. Quelques dossiers de carton de différentes couleurs y étaient bien alignés et, au centre, reposait « Le Livre ». Ce document essentiel au travail d'un régisseur, celui sur lequel tout est noté pour chaque représentation : les répliques, leur durée, les éclairages, la musique, etc. Dieu merci, ce travail était épargné à une simple assistante. C'était un vrai casse-tête !

— Votre bureau est celui qui touche le standard. Savez-vous vous en servir ? Oui ? Parfait. Il sert surtout à relayer les appels pour Ellen et Stanley quand nous sommes à court de personnel. Ah ! Pendant que j'y pense : appelez-moi Nigel. Et vous, êtes-vous Rosalind ou Roz ?

Appuyé nonchalamment contre son bureau, il lui parla de la Comédie. Il lui décrivit la personnalité d'Ellen, lui expliqua les multiples activités de Stanley Kettler et s'attarda sur leur chance d'avoir un homme pareil avec eux.

Il lui parla aussi des acteurs et des représentations prévues pour les semaines à venir et fut satisfait qu'elle ait écouté cette nuit la pièce en cours.

Après quelques considérations amusantes sur les avantages et les inconvénients des représentations de trois semaines, il termina en disant :

— Roz, vous feriez bien maintenant d'aller à la découverte d'un dessinateur nommé Cragge et de lui demander la liste des accessoires dont il va avoir besoin.

» Oh ! Et puis, rapportez un peu de café et quelques biscuits...

Roz se prépara ainsi à faire face à sa première journée de travail et à la rédaction de nouvelles listes de choses « vitales ».

*
* *

Elle aimait travailler avec Nigel. Il pouvait porter des vêtements trop chics et s'écrier : « Oh ! N'utilisez pas ce vieux cahier dégoûtant, ou « ne rapportez pas de cake trop poussiéreux... pour notre thé ! » il était sympathique et énergique, il la taquinait sans méchanceté.

Elle avait l'impression réconfortante qu'ils se connaissaient depuis des mois au lieu de quelques jours. Mais c'était un bourreau de travail et il n'entendait pas que les autres en fassent moins...

— Les jours passent bigrement vite ! soupirait-il souvent. La représentation de « *Intimité* » arrive au galop. Serons-nous prêts ?

Roz rentrait chaque jour un peu plus tard au Dene.

Le plus clair de son travail était pour le dessinateur attitré du théâtre, un homme taciturne dont l'opinion sur tout le monde était détestable, Ellen Warburton exceptée.

— Ne lui permettez pas de vous mettre le moral à zéro, l'avait prévenue Nigel. Regardez-le simplement quand il apprend une bonne nouvelle. Il a l'air prêt à aller se jeter à l'eau de désespoir.

Un matin, Roz reçut de lui l'ordre de lui trouver quelques accessoires assez inattendus : une canne en bois de Malacca à pommeau d'argent, une botte de bluets artificiels, un flacon de sels mauves et un éventail rose.

Toujours à la recherche de choses aussi incongrues, pour la plupart, Roz voyait rarement Ellen, mais parfois elle assistait aux répétitions, et la retrouvait alors, les mains dans les poches, discutant avec les acteurs sur la scène ou les écoutant du fond d'un fauteuil d'orchestre.

Partie tôt le matin de la maison de son oncle et n'y revenant que très tard le soir, Roz avait peu de temps pour faire réellement sa connaissance. Parfois, ils se rencontraient au petit déjeuner. Il lui jetait un coup d'œil alors, par-dessus son journal, lui souhaitait une bonne journée d'une voix courtoise et retournait à sa lecture. Arthur était le secrétaire général d'une maison de commerce de gros et son travail l'intéressait. La partie juridique surtout.

Le deuxième dimanche de son séjour à Stonebridge, Roz put se libérer vers dix heures du soir. La nuit était froide mais claire, le ciel, plein d'étoiles. La promenade lui fut un plaisir.

La porte du bureau de son oncle était entrebâillée. Quand il l'entendit rentrer, il l'appela :

— Rosalind ?

Se détournant de son bureau, il regarda avec amusement la jeune silhouette en pantalon et sweater barré d'un énorme chiffre sept sur la poitrine. Sa frange épaisse lui tombait sur les yeux : elle lui fit penser à un épagneul doré.

— Ellen ne vous laisse guère le temps de respirer, il me semble, remarqua-t-il. Etes-vous fatiguée ?

— Je vais très bien, très bien, dit Roz en s'étalant sur le sofa comme si ses jambes ne pouvaient plus la porter.

— Je finis de signer ces lettres et nous pourrons bavarder.

Roz était ravie d'être assise confortablement, en observant le décor de la pièce. Un feu de bûches donnait une agréable tiédeur. C'était intime et vieillot, comme le reste de la maison. Un cartel battait les secondes sur le manteau de la cheminée entre deux vases chinois. Sur le mur un très beau tableau attira son attention : deux paysannes dans une cuisine de campagne. A travers la fenêtre au-dessus d'un évier rustique, elles regardaient un jardin empli de fleurs.

Comme c'était reposant après le vacarme de la journée, les appels, les réclamations des acteurs !

Roz était heureuse d'être là, mais elle ne se sentait pas encore très à l'aise avec Arthur. Elle l'avait si peu vu encore qu'elle se sentait presque coupable. Comment allait-elle amener la délicate question de payer sa pension ?

Nigel Norton l'avait taquinée quand il avait appris où elle vivait.

— C'est une erreur. Une chambre meublée n'importe où ferait bien mieux votre affaire. Un endroit où vous n'auriez pas à arriver sur la pointe des pieds quand vous rentrez tard, en vous excusant.

— Mon oncle est très gentil.

— Vous savez bien ce que je veux dire, Roz.

**
**

Arthur ferma méticuleusement ses enveloppes
et dit :

— Je regrette que nous nous soyons vus si
peu cette semaine. Comment va le travail ?

— Oh ! Très bien.

Quand elle était intimidée, elle s'en tenait à
quelques monosyllabes. « Tout à fait bien ! »
acheva-t-elle pour faire bonne mesure.

— J'en suis heureux.

Il la fixa un moment, se demandant ce qu'elle
pouvait bien penser. Que pouvait-on dire à une
enfant aussi jeune ? Elle avait vingt-deux ans et,
pour Arthur, c'était le printemps personnifié. Sa
propre femme était morte huit ans plus tôt et il
n'avait pas d'enfant. La mère de Roz, son élégante
jeune sœur Reine, n'avait jamais été très proche de
lui. De plus, elle avait quitté la maison pour étu-
dier la danse à l'âge de quatorze ans. Il trouvait à
Roz une légère ressemblance avec elle, quelque
chose de souple dans la façon dont elle se mou-
vait, une vulnérabilité, aussi. Mais, que savait-il
des jeunes filles ?

Ce qu'il comprenait, simplement, c'était son
travail, la présence presque vivante de la maison
autour de lui, quelques amis qu'il connaissait depuis
toujours.

Sa vie était simple, austère : des promenades
dans la lande, l'église le dimanche... Cette enfant,
aux cheveux étonnamment blonds et son sweater
ridicule, n'avait aucun rapport avec sa ligne de vie.

— C'était très gentil à vous de m'écrire au

sujet de cette place d'assistante. Je ne crois pas vous en avoir suffisamment remercié.

La phrase avait éclaté comme claque une bûche parfois dans un feu de bois. Quand elle eut terminé sa tirade, Roz parut à la fois à bout de souffle et soulagée.

— Ellen semblait très heureuse d'entendre parler de vous. Elle a travaillé autrefois avec votre père.

— Oui, elle me l'a dit.

Il y eut un de ces silences qui règnent entre gens qui n'ont à partager qu'une bonne éducation.

— C'est une gentille femme, n'est-ce pas ? demanda Arthur, comme si Ellen était du même âge que Roz. Et elle a toujours été une force de la nature. Les gens de Stonebridge l'aiment bien et ils le peuvent. Ils lui doivent beaucoup.

Il passa sa main dans sa barbe, réfléchissant.

— Eh bien ! Rosalind, vous êtes en train de devenir aussi une des lumières de notre ville ?

Si Arthur n'avait pas l'habitude de converser avec des filles de vingt-deux ans, Roz n'était pas non plus habituée à des remarques de ce genre.

— J'essaierai de donner tout ce que je pourrai, dit-elle poliment.

Puis, se jetant à l'eau, elle ajouta précipitamment :

— Il y a une chose que je voudrais vous demander. Je veux parler... enfin..., j'aimerais que vous me permettiez de vous payer pour...

— Payer ? Pour quoi ? demanda-t-il, sincèrement surpris.

— Mais, ici. Mon logement, la nourriture et tout.

— Ma chère enfant, de quoi parlez-vous ?

Eh bien ! j'ai tout de même réussi à le dire, pensait-elle. C'était bien plus difficile que de dire n'importe quoi à Nigel ou à Charles, ou à n'importe qui. Son oncle était plutôt impressionnant. Et puis, il était vieux.

— Mais vous devez réellement me laisser donner un peu d'argent. Je gagne ma vie, je ne peux tout de même pas me laisser entretenir par vous, vivre et prendre mes repas... Même temporairement.

Elle s'aperçut qu'il avait envie de se moquer gentiment d'elle et qu'il se retenait pour ne pas la vexer.

— Ce que vous mangez, ma chère petite, dit-il enfin, ne suffirait pas à nourrir un moineau. S'il vous plaît, je ne veux plus entendre parler de çà. Aussi longtemps que vous en aurez envie, vous serez ici chez vous. Si, plus tard, vous préférez avoir votre propre appartement ou en partager un avec une amie ou... je le comprendrai. Pour le moment, filez à la cuisine où votre repas est au chaud... Et... n'oubliez pas d'éteindre le gaz !

Arthur connaissait la manière de terminer un entretien et, avant d'avoir une vraie occasion de le remercier, Roz se précipita sur le chemin de la cuisine.

*
**

L'habitude de Nigel d'arriver le premier de tous le matin ennuyait Roz, mais le lendemain, quand elle arriva dans leur minuscule bureau, elle l'eut pour elle toute seule.

Elle commença sa liste de façon à pouvoir la lire et la vérifier, dans la journée. Il y avait aussi la question assommante du chapeau d'Andrina Grant.

Dans la pièce « *Intimité* », l'actrice principale portait un corsage de taffetas bleu changeant, devait être munie d'une ombrelle, et sa tête était couronnée d'un magnifique chapeau orné de deux oiseaux et de fleurs. A la fin de la première répétition en costume, elle avait demandé que ce couvre-chef soit complété par une voilette à gros pois.

John Cragge avait simplement alors grommelé à Roz :

— Trouvez-lui en une.

Roz était en train d'y réfléchir quand Nigel entra. Même dans cette pièce sombre, il semblait briller. Sa blondeur et la veste de cuir très claire qu'il portait recueillaient toute la chiche lumière de leur imposte.

A côté du triste Cragge et du vieux Stan Kettler, Nigel apparaissait comme le gagnant d'une médaille d'or aux jeux olympiques.

— La première, aujourd'hui ? Bravo !

— Je n'arrive jamais plus de dix minutes après vous ! répliqua-t-elle, d'un ton plein de reproche.

— Qu'est-ce que vous en savez ? Je suis peut-être là depuis deux heures !

— Je demande toujours à Eddy à quelle heure vous êtes arrivé, répliqua-t-elle.

Et il éclata de rire.

Lorsqu'il lui passa le journal, il lui fit remarquer que le « Post » avait des attentions particulières pour Andrina. Il y avait d'elle une excellente photo en première page,

— Vous allez vous amuser, à chercher une voilette à gros pois pour cette chère fille ! lui dit-il. Ce sera quasiment introuvable. C'est la faute d'Ellen !

En effet, celle-ci avait prêté à Andrina un livre sur Feydeau et quelques-unes de ses pièces. Naturellement, Andrina avait coché le seul paragraphe qu'elle n'aurait pas dû lire, la seule photographie qu'elle n'aurait pas dû voir : une actrice française avec une voilette à pois...

Il suggéra quelques possibles boutiques à Roz, sans grand espoir, et comme d'habitude dans ces cas-là, termina en lui adressant tous ses regrets.

Roz passa sa matinée à courir d'un magasin à l'autre sans aucun succès. Quelques clientes semblaient amusées par une telle demande. Une vieille dame assura, nostalgique :

— J'en ai porté...

Découragée, Roz revint vers le petit restaurant où elle avait l'habitude de déjeuner avec Nigel. Un vieux, démodé, et sympathique restaurant, décoré de chevaux de cuivre repoussé, et gris de la fumée des cigarettes. Nigel était déjà là, devant une assiette de saucisses garnies de purée.

— J'ai failli manger votre part. Vous avez la tête de quelqu'un qui n'a pas trouvé de voilette.

— Exact. J'ai fait sept magasins. C'est sans espoir.

— John Cragge ne sera pas content.

— Mais je ne peux pas la fabriquer !

— Andrina pensera que vous le pouvez.

— Vous n'êtes guère consolant, dit Roz tristement en avalant une énorme bouchée de saucisse.

— Je suis réaliste. Vous n'avez jamais vu Andrina privée de quelque chose dont elle a envie ? Une lionne affamée dont on a enlevé le petit ! Essayez encore une fois, Roz, pour l'amour de Dieu !

Ils terminèrent rapidement leur repas et Nigel repartit pour le théâtre de son pas de danseur.

Le ciel était sombre. La pluie s'épaississait. Luttant contre le vent, la jeune fille remontait la grandrue quand une voix dit, très haut, pour dominer le vent et les rafales de pluie.

— Hello ! Par ici !

C'était son oncle. Il portait un chapeau à larges bords comme on n'en faisait plus depuis des années, un imperméable de très bonne qualité et brandissait un parapluie immense, accueillant comme une tente sous lequel Roz se glissa avec joie.

— Stonebridge n'est pas folichon aujourd'hui, hein ?

Ils s'écartèrent précipitamment d'un autobus qui éclaboussait les malheureux passants à chaque tour de roues.

— La ville n'est pas souvent aussi boueuse, dit Arthur. Que faites-vous donc par ici ?

— Oh ! Je crains que vous ne puissiez m'aider, soupira Roz en lui racontant ses malheurs.

Le visage impassible d'Arthur s'éclaira d'un léger sourire. Il dit quelques mots au sujet des caprices d'actrices pour des détails aussi futiles.

Roz craignait une longue dissertation sur le sujet quand son oncle ajouta, l'air pensif, en caressant sa barbe soignée :

— Il y a une miss Digby quelque part par ici... Attendez... 14, allée du Parc, je crois. Votre tante lui faisait faire ses chapeaux. Je crois qu'elle travaille encore. J'ai vu des coiffures portant son nom à une vente de charité.

— Arthur ! Vous me sauvez la vie ! s'exclama Roz en lui lâchant le bras. Merci ! Oh ! Merci !

Roz avait déjà découvert l'allée du Parc, une rue pavée, réservée aux piétons, un des rares quartiers du XVIIIe siècle encore debout dans la ville. Et qui le resterait. Car, maintenant que Stonebridge avait des immeubles modernes et quelques bons hôtels, elle était fière de son passé historique. Surtout depuis que le « Post » avait écrit quelques articles sur le sujet. La télévision du Nord avait suivi. Le coin était sauvé !

De charmantes vieilles boutiques occupaient les rez-de-chaussée. On y vendait des gravures aussi bien que des jeans, des bijoux fantaisie et des disques, des antiquités comme de la pâtisserie.

DIGBY-MODES, lut Roz sur un panneau discret, au numéro 14. La modiste travaillait en appartement.

Une dame sans âge vint lui ouvrir, dans une robe perlée de jais noir et dont l'expression de physionomie indiquait assez clairement qu'elle manquait d'indulgence pour les filles de l'âge de Roz, en bonnet afgan et manteau assorti.

Roz expliqua le but de sa visite. Le visage de la dame s'éclaircit légèrement.

— Ah ! C'est pour le théâtre ! l'entendit-elle murmurer, tandis qu'elle s'éloignait à pas mesurés...

CHAPITRE III

John Cragge était dans la loge d'Andrina. Roz frappa et fut invitée à entrer. Sous une lumière brillante, Andrina, en costume de scène qui la faisait ressembler à un Renoir, tarabustait Cragge au sujet du drapé de son châle.

Le regard qui accueillit Roz était destiné à la replonger dans l'anonymat le plus absolu. Nigel lui avait déjà présenté son assistante, trois fois.

— Bonjour, miss Grant, dit Roz d'une voix tranquille.

Un froncement de sourcil fut la seule réponse. Nullement déconcertée, Roz tendit au modéliste le paquet magnifiquement enveloppé.

— La voilette à pois. A gros pois...

John ne lui donna même pas la satisfaction de paraître étonné.

— Je n'ai plus besoin de vous, dit-il, quelques épingles dans la bouche.

— Oh ! mais si, mon vieux ! grommela-t-elle avec impertinence avant même d'avoir complètement fermé la porte.

Le reste de la journée fut infernal. Roz était

arrivée à Stonebridge en cours de représentation, et elle avait dû se mettre à jour rapidement.

Un des aspects de son travail qui réclamait le plus d'attention consistait à préparer en coulisse, sur une table destinée de tout temps à cet emploi, les différents accessoires nécessaires à chaque artiste, dans l'ordre de leur utilisation.

Cela allait des écharpes aux verres à liqueur, des chandelles aux tasses à café, en passant par les ombrelles et les flacons de sels.

Ce soir-là, il restait quelques instant avant de gagner les coulisses et, pour Nigel, de prendre place à sa propre table où trônait « Le Livre ». Là, il ferait les annonces aux acteurs, d'abord, pour les entrées en scène, puis au public.

Il donnerait les lumières, la musique et veillerait à ce que tout soit réglé comme une horloge.

Mais il restait quelques instants et Roz le vit arriver dans le bureau en trombe, avec un paquet de sandwiches et une bouteille de champagne. Il n'avait pas l'habitude de se négliger.

— Il n'y a pas plus de raison de se laisser mourir de faim que de se tuer au travail, avait-il coutume de dire.

Il trouva Roz assez déprimée, somnolant à son bureau.

— Je parie que vous n'avez rien prévu pour votre dîner.

— Mon oncle me laissera quelque chose au chaud.

— Ma pauvre petite, quand nous en aurons fini, votre truc chaud sera complètement calciné. Heureusement que je suis là !

Elle accepta un sandwich, fit « Hum » en s'apercevant que c'était du saumon fumé, et retomba dans son silence.

— Qu'est-ce qui se passe, Roz ? Vous dormez ?

— Tout va bien, merci.

— Non, je le vois bien. Qu'est-ce qu'il y a ?

— J'ai vu et revu mes listes, mais je suis nouvelle ici et j'ai toujours peur d'oublier quelque chose. Ce serait horrible. Non ? Un soir de première...

Nigel se sentait toujours très attendri en présence de Roz. Il aimait sa grosse frange, son visage mince, sa jolie silhouette. Il aimait même sa ridicule habitude de mordiller sa mèche.

— Ne soyez pas stupide ! Quelle difficulté pour une assistante ? J'ai fait ça à l'âge de cinq ans, moi !

— Au théâtre du Petit Monde, sans doute ?

— Enfin, une plaisanterie. Bravo !

— Je souhaiterais que vous me preniez plus au sérieux.

— J'aimerais que vous me disiez comment.

Puis après un regard à sa montre, il vit qu'il était l'heure.

— Vous feriez mieux de terminer le champagne. Sinon il sera éventé. Courage, petite ! Ceci est censé être une pièce qui fait rire. Ne l'oubliez pas !

Quand Roz fut dans la coulisse, elle put entendre le brouhaha de la salle. Elle jeta un coup d'œil à travers le rideau et vit que les rangs des fauteuils étaient très largement occupés.

La pièce commença. Et les éclats de rire.

Debout dans les coulisses Roz voyait le spectacle
sous un jour curieux : le dos d'Andrina, les bras
de l'homme qui entouraient sa taille, le chapeau
de l'actrice tremblant d'une indignation violente.

A côté d'elle, Nigel avait à portée le tableau
d'éclairage et le microphone. On entendait : « Lumière n° 6 / Attendez, mademoiselle Grant.

Le deuxième acte se déroulait admirablement.
Roz commençait à être surexcitée, contente, devant
sa propre table.

Le troisième acte était le clou du comique de
la pièce, pour Andrina. Dans une scène de ten-
dresse avec son amoureux, elle devait courir à la
porte, l'entr'ouvrir et s'exclamer :

— Seigneur ! C'est Franck ! Je reconnais sa
façon de se gratter la gorge. Essayez de paraître
naturel. Passez-moi vite mes gants !

« Vite, pour l'amour de Dieu ! »

A cette seconde, Roz se sentit défaillir. Elle
avait oublié les gants...

Cette paire de gants longs aurait dû se trouver sur le dessus de la cheminée. L'actrice les
avait donnés à Roz le soir de la répétition en costumes en lui recommandant sévèrement de recou-
dre un des boutons de perle qui servaient de fermeture. Et Roz les avait laissés dans son bureau !

Frissonnante, horrifiée, elle attendait.

L'acteur qui jouait le rôle de Richard regardait
autour de lui, à la recherche des fameux gants. Il
y eut une mimique muette, et un éclat de rire
dans la salle.

Alors, Andrina, les mains nues, se dressa et
continua :

— Si je boutonne mon gant et que vous fermiez la fenêtre, nous aurons l'air très naturel.

La réponse de Richard était :

— Cessez donc de jouer avec vos gants. Cela me rend nerveux !

A ce moment, toute la salle éclata de rire de plus belle. Quelqu'un cria :

— Pas de chance Andrina !

Les spectateurs des premières étaient tous des habitués. Ils auraient eu besoin d'être un peu matés. Mais Andrina, comme enracinée au centre de la scène, ne trouvait rien à dire...

Quand Nigel arriva au bureau, le lendemain matin, il ne fut pas surpris de trouver la pièce vide. Il avait fait de son mieux pour réconforter la jeune Roz la veille, l'avait ramenée en voiture, sanglotante jusqu'au Dene lui racontant des histoires bien pires que sa gaffe, expliquant même ce qui lui était parfois personnellement arrivé.

Mais la sympathie de Nigel avait eu peu d'effet. Il avait déposé devant la maison d'Arthur une pauvre fille complètement déboussolée, pour rejoindre le souper de rigueur le soir d'une première.

Là, il avait essayé d'adoucir la fureur d'Andrina. Et cela avait raté aussi. La personne qui avait pris la rage de l'actrice de plein fouet avait cependant été Ellen Warburton, debout et silencieuse à côté de la furie.

— Ainsi « ma » représentation a été complètement sabotée par une petite idiote de quatorze ans, qui devrait être utilisée dans un théâtre de patronnage. Et encore ! Mettez-la dehors ! Ou c'est moi qui m'en irai.

Nigel avait quitté la scène à cet endroit, mais il avait remarqué que, même au plus fort de sa colère, Andrina savait utiliser au mieux sa voix...

Maintenant, le drame était terminé. Non. Pas tout à fait. Il y avait encore l'entrefilet du « Post ». Andrina était aimée au journal qui se vantait de l'avoir découverte. Pourtant, le lendemain de la première, l'article était sévère.

« *Andrina Grant a donné une représentation particulièrement peu convaincante. Trop d'insouciance. Des gants introuvables, Une mise en scène qui manquait de rigueur... Enfin, une charmante absurdité.*

Puis, le coup de poignard final : « *Oh ! Chère Comédie, qu'aviez-vous fait de votre professionnalisme, hier soir ?... On pouvait craindre que notre théâtre local ait régressé au stade de l'adolescence, puisque les scènes essentielles de cette farce insignifiante étaient vidées de tout leur sel par une chose aussi grotesque qu'une paire de gants manquante...* »

Nigel termina la lecture du journal en faisant la grimace. Pauvre Roz...

La personne à laquelle il pensait entra à cet instant.

Elle portait une robe sombre qui amincissait encore sa frêle silhouette et faisait paraître son visage plus pâle. C'était la première fois qu'il ne la voyait pas en pantalons.

— Hello, chérie ! Comment avez-vous dormi ?

— Pas trop mal, merci.

C'était un mensonge flagrant. Il y eut un silence.

— Est-ce que... est-ce que l'article du « Post » n'est pas trop terrible, Nigel... pour moi ?

— Oh ! Le « Post » adore avoir quelque occasion de se donner de l'importance. Ça leur arrive de temps en temps...

Nouveau silence.

— Andrina ne me le pardonnera jamais ! dit enfin Roz. Je vais être obligée de quitter mon emploi. Il y a longtemps qu'elle guette ce moment-là !

— Ce n'est pas elle qui mène le théâtre, petite sotte !

— Mais je le mérite, Nigel. Oublier des choses comme çà ! Je me demande ce que je fais ici !

— Allons, ne recommencez pas à être déprimée, dit-il affectueusement. Faites-nous un peu de café et cessez de ressembler à l'héroïne d'une tragédie de l'époque de Jacques Ier...

Quand Nigel décrocha l'interphone, Roz pâlît.

— Oui, elle est là, répondit-il à quelques mots que la jeune fille n'avait pu saisir. Je vous l'envoie, Ellen.

— Voilà ! Vous voyez ? gémit-elle.

Nigel posa gentiment ses mains sur les épaules effondrées de son assistante.

— Allons ! Ne prenez pas d'avance des airs de condamnée. Courage ! Je dirai un mot pour vous. Souvent les choses vont mal un soir de première. Une fois, l'acteur principal est resté coincé dans un ascenseur à l'heure où il aurait dû être sur scène. Et celui qui est tombé sur le premier rang des fauteuils d'orchestre ?

— Je ne suis qu'une assistante de régie, moi !

— Filez et ne perdez pas la tête, Roz.

Elle trouva Ellen et Stanley assis dans le bureau de la directrice. C'était une pièce agréable et gaie.

— Asseyez-vous, Roz, dit Ellen.

Sans doute croit-elle que si je reste debout, je vais tomber, pensa Roz. Dans son esprit, elle était déjà en train de faire ses paquets.

— Je suppose que vous préférez que je vous donne ma démission, dit-elle.

Ellen et Stanley échangèrent un coup d'œil, mais c'est Ellen qui parla, de sa voix bien timbrée à l'accent du Nord :

— Non, Roz, nous ne vous le demandons pas. L'histoire doit vous avoir donné un assez gros choc... Comme à tout le monde, du reste ! Cela ne vous arrivera plus jamais, j'en suis sûre.

— Mais...

— Mais, quoi ? demanda Stanley.

— Mais... Miss Grant ne permettra pas que je reste... Je veux dire : elle serait bien plus contente si je partais, murmura Roz devenue écarlate.

Stanley ricana.

— Les acteurs ne font pas la loi à la direction. Du moins, pas encore !

— Andrina est à la fin de son contrat, expliqua Ellen, comme un médecin parlant à une convalescente. Ne prenez pas les choses trop au tragique, Roz. Ce qui est arrivé hier soir, vous l'oublierez, mais vous aurez appris quelque chose d'important : utiliser votre tête, bien réfléchir, ajouta-t-elle.

« Nous vous avons fait appeler parce qu'il y a quelque chose que vous pourriez faire pour nous si Nigel peut se passer de vous ce matin. Voudriez-vous descendre aux bureaux du « Post » et vous rendre aux archives. Nous voudrions que vous nous rapportiez tous les articles ayant paru sous le titre : *Stonebridge, demain.*

Comme Ellen lui tendait une liste de dates dactylographiées, Roz sut qu'on lui avait pardonné sa sottise. Cependant, le visage d'Ellen était marqué par la fatigue et le souci. Ses yeux, généralement brillants et gais, étaient ternes et las. Un nouvel ennui ? se demandait Roz en la quittant.

Elle sourit en pensant à la réflexion que Nigel ne manquerait pas de lui faire quand ils se reverraient. Son « Je vous l'avais bien dit ! » lui résonnait déjà aux oreilles comme un joyeux accompagnement, dans sa marche rapide vers le journal.

Pour un peu, elle aurait couru, tant elle était soulagée. La foule vêtue de sombre, le ciel gris, le froid pénétrant, tout lui semblait merveilleux. Ce matin, pour la première fois, elle se sentait de ce pays. Elle y était comme en famille. Les gens étaient si gentils sous une écorce rude !... pensait-elle avec comme un remords de ne l'avoir pas senti plus tôt.

Le grand immeuble du journal en plein centre de la ville connaissait déjà l'attroupement habituel des gens venant lire le dernier numéro de la gazette, exposé sous des cadres vitrés. Un portrait d'An-

drina occupait l'un des panneaux. Une photo très
allurée, très « sexy » également. Roz lui lança un
coup d'œil coupable... et rancunier.

Elle se sentit un peu perdue dans l'immense
hall du journal. Au jugé, elle s'enfonça dans un
couloir. Comme elle cherchait quelqu'un qui puisse
la renseigner, une porte s'ouvrit brusquement et
un homme en sortit, une liasse de papiers à la
main. C'était le garçon qui l'avait aidée, l'autre jour
à la gare. Elle n'avait aucune idée qu'il pût travailler au journal.

Il semblait plus trapu et plus assuré qu'elle ne
s'en souvenait. Ses yeux, en revanche étaient du
même bleu étonnant.

— Eh ! Bonjour ! dit-il, marchant vers elle.
Qu'est-ce qui vous amène par ici ? Nous portez-
vous quelques nouvelles croustillantes du théâtre ?
Je ferais mieux de me présenter, dit-il, de sa manière brusque. Mon nom est Tom Burrel. Et vous,
comme je l'ai lu sur mon programme hier soir,
vous êtes la dernière acquisition de la « Comédie »,
Rosalind Matthiews.

Roz devint écarlate pour la seconde fois de la
journée.

— C'est vous qui avez rédigé l'article ?

— C'est moi, oui. E tvous étiez la grande coupable... Tut, tut... Miss Matthiews, il faudra apprendre à faire mieux que çà...

Elle se sentit soudain si furieuse qu'elle en
aurait pleuré, là, sur place. Il était bien suffisant
qu'elle ait commis cette horrible bévue : qu'elle ait
passé une nuit blanche à se reprocher cette mala-
dresse qui avait failli lui faire perdre son emploi.

Comment ce garçon pouvait-il rester tranquillement en face d'elle et en rire ?

— On dirait que ça vous amuse ! dit-elle d'une voix tremblante. J'ai fait l'idiote et vous rendez les choses pires en vous faisant briller à mes dépens. Vous devez vous sentir très fier, je pense !

Elle lui tourna le dos brusquement et s'enfuit.

A mi-chemin seulement, elle s'aperçut qu'elle avait oublié d'aller aux archives. Quand, finalement elle revint au théâtre, il avait cet air léthargique qui suit immanquablement une soirée de première. Il y avait la queue à la location. Eddy se préparait du thé. Nigel n'était pas dans son bureau.

Lorsqu'elle eut donné les journaux à Ellen, Nigel était toujours absent. Roz passa un bien pénible moment à écrire une lettre d'excuses à Andrina et l'emporta pour la déposer dans la loge de l'actrice.

Comme le reste du théâtre, la pièce était vide.

L'odeur des frésias sur la coiffeuse l'emplissait comme une présence. Les pots de maquillage étaient bien rangés, des télégrammes s'empilaient enfoncés par un coin dans le cadre de la glace. Les costumes de soie qui transformeraient Andrina en Renoir chaque soir pendant trois semaines, étaient suspendus, dans l'attente du moment où l'actrice leur donnerait vie.

Roz se sentait déjà très attachée au théâtre ; elle aimait ses étroits couloirs, ses peintures désuétes, ses chérubins et son velours rouge.

« J'appartiens à cette maison, de tout mon cœur, pensait-elle en descendant pour rejoindre son bureau. Je la servirai de mon mieux.

— Vous n'êtes donc pas sur la scène ? s'exclama Nigel, en se précipitant vers elle. Où étiez-vous donc passée ? Ellen vient de demander que tout le monde se rassemble dans les cinq minutes.

Il leva les sourcils dans une mimique de perplexité.

— Tout le monde doit y être, sans exception. Très mystérieux, ma chère.

— Mais... qu'est-ce qui est arrivé ?

— Je n'en sais rien, Roz, mais ce ne doit pas être bon.

L'endroit avait commencé à retentir du bruit d'une foule bavarde et intriguée. Les acteurs et le personnel emplissaient les couloirs. Le menuisier et l'électricien arrivèrent les derniers.

Il y avait environ quarante personnes, bruyantes, mal à l'aise, quand Ellen Warburton arriva sur la scène suivie de Stanley Kettler.

Le silence se fit immédiatement.

Ellen, debout, regarda un moment son auditoire. Le théâtre, aussi, semblait en attente.

— « Mesdames et messieurs, chers amis, commença-t-elle, Stanley et moi désirons que vous connaissiez la nouvelle, parce qu'elle nous concerne tous.

« Nous avons appris ce matin que la Comédie avait été inscrite sur le programme de démolition du conseil municipal.

*
**

Chaque matin, quand Roz souriait à Eddy en passant la porte, elle se souvenait que les jours du théâtre, leurs jours, ceux des acteurs, de Nigel, Ellen et Stanley, ainsi que les siens, étaient comptés. La compagnie allait se dissoudre et la Comédie n'existerait plus. Pas une pierre ne resterait où, maintenant, soirée après soirée, « *Intimité* » faisait frémir de rire la salle pleine.

Il y avait moins d'une semaine qu'Ellen avait annoncé la nouvelle, mais elle était déjà devenue un fait accompli dans l'esprit de tous. Tout en proclamant que c'était « impensable », chacun y croyait. Jurant que c'était « impossible », la troupe savait que c'était vrai. Un nuage planait au-dessus du théâtre, comme s'élèverait bientôt la poussière du chantier de démolition.

Pour rendre les choses pires, le « Post » publiait chaque jour une série d'articles sur le projet de la municipalité : construire une route circulaire autour de la ville.

Certainement, cette voie nouvelle serait la bienvenue. Le trafic bruyant et malodorant des camions roulant vers le Nord ne perturberait plus le centre de la cité. Il s'écoulerait plus rapidement et avec moins de gêne pour la population par une route à quatre voies qui n'affecterait plus que ce que le journal nommait « un coin peu important de Bridgestone » avant d'aller rejoindre l'autoroute d'Ecosse.

Le coin « peu important » était, évidemment, le marché et la rue où se dressait le théâtre...

Et, cependant, en dépit de la menace, la routine continuait, bravement, les représentations commençaient exactement à l'heure chaque soir et la foule venait nombreuse assister au spectacle qui se

révélait populaire. La Comédie restait bien vivante...
Pour le moment !

Roz était un matin dans les coulisses, si occupée
à faire reluire la cafetière d'argent utilisée par
Andrina dans le troisième acte, qu'elle n'entendit
les pas d'Ellen que lorsque la directrice lui dit :

— Bonjour, Rosalind !

Roz leva le nez, sourit, et retourna à son polis-
sage. La directrice attendit jusqu'à ce que cela soit
fini.

— Bravo ! Bon travail !

— N'est-ce pas ? Çà brille. Sur scène çà fait
un effet sensationnel, précisa Roz toute fière.

— Je l'avais remarqué.

Elle regarda Roz et dit soudain :

— Et qu'est-ce que je vais pouvoir faire à
votre sujet ?

— Tout va bien, dit Roz, avant de réfléchir.
Puis, brusquement, elle comprit.

— Je vous en prie, madame Warburton, ne
vous sentez pas responsable de moi.

— Je crains bien de ne pas pouvoir, dit Ellen
en souriant. Nous vous avons fait venir de Londres
avec la promesse d'un travail permanent, et voyez
où nous en sommes ! Peut-être Stanley pourra-t-il
vous donner une ou deux introductions...

— Mais, six mois, c'est une éternité ! s'exclama Roz.

— C'est ce que les gens de théâtre croient...
Ma chère enfant, avez-vous lu le journal de ce
matin ?

Ellen tendit le « Post » à Roz. En grosses lettres il titrait : « PLANS AVANCÉS POUR LA

ROUTE, ANNONCE LE MINISTÈRE DES
TRANSPORTS ». Roz comprit que les six mois
de survie de la Comédie risquaient d'être raccour-
cis de moitié. C'était admis par le signataire de l'article, Tom Burrel.

— Mais... Nous pensions...

— Oui, je sais, soupira Ellen. Nous pensions
que nous avions la moitié d'une année devant
nous, au moins.

« Pour être honnête, je dois dire que nous
connaissions la possibilité de ces changements
depuis longtemps. Les employés du ministère des
Transports étaient venus enquêter. Les plans étaient
à l'étude... Mais stupidement, on espère. Et maintenant, irrévocablement, nous voilà devant la réalité. Bref...

Elle fixa le plancher un moment et soupira de
nouveau.

— Et bien, voilà ! Les gens vont être contents.

— De nous perdre ?

Ellen sourit de la véhémence de Roz.

— Non. D'être débarrassés des poids lourds.
Stonebridge était une ville charmante, autrefois.
Animée et, déjà, industrielle. Mais les moulins qui
nous donnaient la prospérité étaient en dehors de
la ville. Ce n'est que depuis peu que nous suppor-
tons un trafic aussi lourd. Le pont a été réparé six
fois en deux ans. Un très beau pont ancien. L'avez-
vous remarqué, Roz ?

— Oui, mais il doit y avoir une autre solution.
Un trajet différent que la nouvelle route pourrait
suivre. Tout le monde le dit !

— Bien sûr, petite. Mais nous ne sommes pas

le département des transports. Nous sommes juste
un vieux théâtre, qui n'est pas très économique à
gérer pour la municipalité et a déjà vécu longtemps... Et la voie la moins chère pour la route
passe bien par ici.

« Viendrez-vous à la réunion de protestation ?
C'est une idée d'Andrina. Elle y tient beaucoup.

— Je serai sur la ligne de front, dit Roz fougueusement, Et, s'il y a quelque chose que je puisse
faire, n'importe quoi ! s'il vous plaît, dites-le moi.
Sûrement, nous arriverons à sauver ce merveilleux
endroit !

D'un geste éloquent de son chiffon à reluire,
Roz montrait les coulisses poussiéreuses, une
échelle et un extincteur...

**
**

Elle revint à la nuit tombante pour prendre son
repas avec Arthur. Ils avaient pris l'habitude de
faire un thé-dîner à cinq heures et demie. C'était
un repas qui aurait dû être inventé pour les gens
de théâtre : un plat chaud à cette heure-là était
exactement ce qu'il leur fallait. La nourriture était
toujours délicieuse. Arthur avait une excellente
gouvernante.

— Vous devez absolument rencontrer mon trésor, ma madame Judd, lui avait-il dit.

Le trésor d'Arthur, d'âge canonique, était grande,
grosse, avec le visage d'un castor bienveillant. Elle
arrivait tous les jours ponctuellement, s'exclamait
sur la quantité de travail qu'elle avait à faire et
l'accomplissait avec satisfaction.

« Tout cet entretien ! s'écria-t-elle en astiquant la table de la salle à manger comme si elle voulait s'en servir comme d'un miroir. C'est mon jour de pâtisserie, et je suis fatiguée avant de commencer ! Je vous fais des scones ? Et que diriez-vous d'un petit cake, hein ?

La gelée brillait à travers les grilles des jardins tandis que Roz longeait l'allée maintenant familière. Les maisons n'étaient pas particulièrement luxueuses mais sympathiques. Les moulins tournaient suffisamment pour produire une aisance agréable. Certes, les jours vraiment fastes, les heures du commerce florissant des cotons et laines étaient loin. Mais l'existence ici était attachante, comme les gens, en dépit des apparences. Elle s'y sentait bien. Et la campagne était proche.

— Rosalind ?

La voix d'Arthur lui parvint dès qu'elle eut mis la clé dans la serrure. Quelqu'un veut vous voir.

Jetant son vieux manteau afgan sur une chaise du hall, Roz entra dans la salle de séjour. Arthur était debout près du feu et, près de lui, jambes écartées pour mieux profiter de la chaleur du foyer, parfaitement à l'aise, se prélassait Tom Burrel dans un fauteuil confortable.

— C'est le garçon qui vous a amenée de la gare, dit son oncle. Tom et moi sommes de vieux partenaires, vous savez ! Notre association nous conduit parfois à nous combattre autour d'une table bien garnie. J'admets qu'il est un excellent guerrier.

Son oncle cligna de l'œil en regardant Tom. Elle ne l'avait jamais vu aussi animé.

Tom Burrel s'était levé pour saluer la jeune fille, d'une façon qui ne lui parut pas très empressée. Il devait se souvenir de leur rencontre au journal.

— Commencez-vous à aimer Stonebridge ? Surtout, ne me dites pas : ça ne vaut pas Londres... C'est une remarque qui n'est pas appréciée chez nous.

Elle répondit froidement qu'elle aimait beaucoup la ville.

— Tom prendra le thé avec nous, Rosalind. Si vous voulez bien m'excuser tous les deux, j'ai un coup de fil à donner au bureau.

Il quitta la pièce, fermant la porte doucement derrière lui. Arthur n'était jamais pressé.

Tom étira de nouveau ses jambes devant le feu. Il ne semblait pas du tout disposé à engager une conversation polie. Il devait probablement penser que c'était une ridicule habitude londonienne, aussi. Il était vêtu de sombre, un sweater noir à col roulé et un pantalon gris foncé. Ces couleurs ne lui allaient pas, pensa-t-elle. Avec sa silhouette carrée et ses épaules solides, il aurait pu être un boxeur... Oui... il lui avait déjà allongé un coup qu'elle avait accusé...

— Le « Post » semble un chaleureux défenseur de la route circulaire, dit-elle enfin, en s'asseyant à bonne distance.

— Voulez-vous dire que le journal est de parti-pris ?

— Je n'en ai aucune idée. Mais tout ce que je lis va dans ce sens. Votre journal n'a jamais sug-

géré que le théâtre pourrait être sauvé. Je m'en
rapporte à l'éditorial d'hier.

— Je vois que vous étudiez sérieusement nos
colonnes.

— On est naturellement intéressé, chez nous, à
savoir vers quelle date le bulldozer arrivera.

Elle savait que sa voix était coupante.

— C'est tellement charmant de voir démolir
l'endroit où l'on travaille !

Tom Burrel leva un sourcil. Il était, sans doute,
habitué à ce genre de conversation. Beaucoup
devaient aller se plaindre à lui. Pas étonnant s'il
paraissait buté !

— La route en question est une très bonne
idée vous savez, dit-il avec un ton de remontrance.
Notre ville en a besoin. Stonebridge connaît un
grand préjudice avec tout ce trafic.

— Pour la Comédie, ce ne sera pas un simple
préjudice. Elle disparaîtra, purement et simplement.

Cette fois, la voix de Roz était encore plus cas-
sante.

Etudiant ce jeune visage, à la frange tombant
presque sur les yeux, il la trouvait comique. Certainement à ne pas prendre au sérieux.

— Nous sommes toujours désolés quand nous
voyons disparaître notre vieux patrimoine. Le
« Post » a fait campagne quand les promoteurs
ont semblé vouloir s'intéresser au Dene. C'est bien
grâce à nous que ces maisons sont encore debout !

Roz aurait aimé lui dire : « Vous pourriez aider
la « Comédie » de la même façon ». Mais, à quoi
bon ?

Elle se pencha pour mettre une bûche au feu, et, lui tournant ainsi le dos, déclara :

— Je ne vois pas pourquoi je perds mon temps à parler du théâtre. De toute façon, vous ne devez guère aimer le spectacle !

— Excepté que j'en fais la critique.

Elle se retourna.

— Dites-vous cela pour m'embarrasser, monsieur Burrel ?

— Pourquoi le ferais-je ?

— Je l'ignore, dit-elle sèchement. Bien sûr, je sais que vous êtes le critique théâtral du « Post ». C'est un emploi. Cela ne signifie pas que vous aimiez le théâtre. J'ai souvent pensé que les critiques passent leur temps à dire des choses qui n'ont rien à voir avec la pièce qu'ils ont vue. Ils extrapolent, théorisent. Ou se distraient à couler les gens...

— Je vois que je ne suis pas pardonné.

Arthur revint juste à ce moment et les regarda gentiment, sûr qu'ils s'entendaient bien.

— Rosalind, dit-il, je dois vous dire que Tom n'est pas un simple reporter du « Post ». Il en est le rédacteur en chef. Son père est propriétaire du journal, et, comme il aime le rappeler, le principal actionnaire. Le « Post » est une affaire de famille.

« A propos, comment va Jack ?

— Je suis sûr qu'il a joué les farauds avec vous, mais il est encore couché et ne peut marcher facilement. Mais cela ne va quand même pas mal. Terriblement irritable ! Ce qui, pense le docteur, est un très bon signe. Nous avons pour lui une infirmière à demeure. Un oiseau rare que nous avons fait venir de Preston. Papa fait, de la vie de cette malheureuse, un véritable enfer. Je pense qu'il est le pire patient qu'elle ait jamais eu !

— Je vais lui téléphoner pour aller le voir. Je pourrais avoir un effet calmant, peut-être, dit Arthur.

CHAPITRE IV

Le thé-dîner fut servi dans la salle à manger et Roz resta silencieuse tout au long du repas. Arthur et Tom parlaient des événements locaux, du succès de l'équipe de football à la nomination du futur maire. Personne ne mentionna la route circulaire et Roz se demanda si c'était à cause de sa présence.

Son oncle ne lui avait pas dit ce qu'il pensait du projet, bien qu'une fois ou deux elle eût essayé de mettre la conversation là-dessus. Il savait fort bien écarter les sujets dont il n'était pas disposé à parler.

Roz qui était habituée au comportement explosif des gens de théâtre, trouvait la réserve de son oncle assez réfrigérante.

Les deux hommes en vinrent à parler de la nouvelle aile de l'hôpital et convinrent que le budget initial risquait d'être doublé.

— Ne laissez pas un de vos gens du contentieux y mettre le nez ! dit Arthur.

— Pourquoi ? demanda Tom innocemment. Qui pourrait être contre la construction d'une aile supplémentaire à l'hôpital ?

« Sauf, bien sûr, la valeur de l'avance bud-
gétaire, mon cher Arthur. Mais... cela vous
concerne. Pas nous !

— Ah ! Ah ! Je pensais bien que vous ne vous
étiez pas invité sans raison...

Les deux hommes se mirent à rire.

Après le repas, Roz s'excusa. Elle devait aller au
théâtre. Tom interrompit sa conversation pour
demander s'il pouvait l'y conduire. Roz le remercia
poliment et refusa. Cela ne lui prendrait que quelques minutes de descendre la colline.

En fait, elle ne tenait pas à le voir et elle aurait
même aimé qu'il s'en aille. Sa présence était trop
pesante, son visage aux rides expressives la déran-
geait. Si des hommes de cette trempe se mettaient
à vouloir détruire la Comédie, rien ne pourrait la
sauver.

— Permettez-lui de vous conduire, dit Arthur
malicieusement. Vous y gagnerez en confort et,
moi, j'ai très envie de me débarrasser de lui. Il
reviendra quand il n'aura pas pour but de me casser la tête avec les sujets qui l'ont amené ici
aujourd'hui, et des arguments douteux...

Ainsi Roz se retrouva dans la voiture de sport
noire qui l'avait amenée chez son oncle, le premier
jour. Il lui semblait qu'il y avait un siècle !

Le conducteur n'ouvrit la bouche que pour
s'inquiéter si la portière était bien fermée, et lui
demander d'attacher sa ceinture. Roz était également
silencieuse. Elle se sentait déprimée. Cet homme, à
côté d'elle représentait la force énorme de son
journal. Quelle confiance en lui il manifestait !

Ils passèrent par le marché qui avait été net-

toyé pour la nuit. Les traces de son activité de la
journée subsistaient un peu partout : pétales de
chrysanthèmes, papier d'argent qui avait enveloppé des mandarines...

Roz était sur le point de quitter Tom en le
remerciant quand elle dit :

— Vous pensez réellement que la ville ne peut
éviter cette destruction ?

Le théâtre brillait de toutes ses lumières. Un
peu délabré d'avoir lutté longtemps contre les
intempéries, il était encore étonnamment agréable à
regarder avec ses guirlandes, ses chérubins, et,
pensait amicalement Roz, son envie de durer encore,
le pied dans les épluchures et le fronton regardant
le ciel étoilé...

— Je n'ai pas dit que j'approuvais la perte du
théâtre.

Tom parlait à Roz comme à une enfant.

— Votre journal ne s'en cache pas !

Il fit la grimace à ce raisonnement simpliste. Il
la trouvait trop naïve. Il y avait tellement de choses
qu'elle ne savait pas, qu'elle ne comprenait pas : la
façon dont une ville devait être gérée, quand une
route était programmée, la façon dont un bâtiment
pouvait être ou non sauvé...

— Rien, vraiment, ne peut être fait ? répétat-
t-elle.

La regardant, dans son manteau brodé et dé-
formé, il se sentait involontairement ému. Son visage
anxieux ? Son regard suppliant, peut-être ? Il ne
voulait pas admettre que le petit théâtre, brillant
bravement dans la nuit, l'émouvait aussi. Il n'aimait pas faire du sentiment.

— Quelqu'un de chez vous est en train d'organiser une protestation, dit-il.

— Oh ! Oui ! La semaine prochaine à l'Hôtel de Ville.

— Eh bien ! c'est quelque chose, çà ! dit-il avec un léger sourire. Vous allez pouvoir manifester. Vous allez adorer çà !

— Ne prenez pas cet air protecteur, s'il vous plaît !

La violence de sa voix le surprit.

— Je n'en avais pas l'intention. J'ai entendu dire qu'Andrina Grant avait pris la tête de ce mouvement. Elle fera çà très bien.

— Mais, est-ce que votre journal ne pourrait pas... ?

— Non. N'essayez pas de me séduire, dit-il, très gentiment. Nous serons là pour rendre compte de la protestation. Je vous promets que l'article passera en première page.

Il repartit et elle entra au théâtre.

« En première page, vraiment ! Quelle stupide promesse était-ce là... »

Le théâtre était bondé, le public, amusé, et les gags eurent leur habituel succès. Andrina était dans les coulisses, attendant son entrée. Elle portait une robe de satin gris bleu et avait réussi à serrer les cordons de son corset jusqu'à avoir une taille de guêpe. Nigel avait fait remarquer peu gentiment à ce sujet que si elle n'y prenait garde, elle risquait de périr étouffée.

Ce soir-là, l'actrice était particulièrement radieuse. Les applaudissements semblaient l'auréoler d'une sorte de nimbe.

Quand Roz lui tendit l'ombrelle et le paquet de lettres de la scène suivante, elle la remercia. Ouvrant gracieusement l'ombrelle de dentelle bleue, elle ajouta avec une condescendance royale :

— N'oubliez pas le meeting à l'Hôtel de Ville. Ce sera formidable !

Puis, en trois pas glissés, elle revint vers son partenaire pour sussurer :

— Mon cher Albert, voici le courrier de ce matin. Et pas un mot de la duchesse !

*
* *

Ce défilé de protestataires avait été diversement commenté.

John Cragge avait dessiné quelques affiches percutantes et beaucoup de magasins sympathisants, comme ceux du marché, par exemple, les avaient mises en bonne place.

SAUVEZ LA COMEDIE !

lisait-on sur toutes. NE LAISSEZ PAS MOURIR VOTRE THÉATRE !

Quand l'après-midi du meeting arriva, les acteurs et le personnel défilèrent du théâtre jusqu'à l'Hôtel de Ville.

Andrina, vêtue d'un manteau de fourrure blanche, menait la marche à la façon d'une Jeanne d'Arc. Les acteurs étaient excités. Ils ne pouvaient jamais participer à quoi que ce soit sans en faire une fête. Les gens dans les rues les applaudissaient et les encourageaient. Les acteurs criaient alors :

« Venez nous rejoindre, aidez-nous, camarades !

La sage ville de Stonebridge n'avait jamais vu un groupe aussi tumultueux envahir la mairie, sous les regards impassibles de tous les maires du siècle dernier.

— Les gens nous prennent au sérieux, j'espère ? demanda Roz à Nigel, en train de rire à une plaisanterie du public.

— Bien sûr, mais pourquoi serions-nous tristes, dites-moi ? Une bonne cause n'a pas besoin de longues figures...

Une des plus « longues figures » était celle de l'oncle Arthur. Mais c'était simplement parce que c'était sa forme naturelle. Roz aperçut sa silhouette, correcte dans un costume gris foncé, trois rangs derrière elle, et alla vers lui.

— Je vais rester avec vous, dit-elle.

Mais il insista pour qu'elle reste avec « les siens ».

— Vous pouvez avoir envie, tous, de faire quelque chahut tout à l'heure. Et ma présence risquerait de refroidir vos enthousiasmes. Je ne suis pas un participant, Roz. Seulement un spectateur.

Il jeta un coup d'œil autour de lui.

— Vous allez avoir une fameuse affluence. Je ne pourrai assister qu'aux premiers des discours, mais je ne voudrais pas m'en priver... Ah ! Voilà Tom Burrel.

— Bien ! dit Roz tandis que Tom fendait la foule à coups d'épaules. J'espère qu'il écrira quelque chose en notre faveur, pour changer.

Son oncle eut un petit haussement d'épaule.

— Ne vous y trompez pas, Roz. Il est dans l'opposition.

Elle le quitta sans répondre, appelée par Nigel. Bientôt après, le meeting commença.

Il débuta, pensait la jeune fille, assez mollement.

Le premier adjoint fit un discours sur un ton faussement convaincu.

— Ceci est un meeting de protestation, s'écriat-il, mais il est nécessaire d'écouter les arguments de tous !

— Il n'a jamais mis les pieds au théâtre, grommela Nigel à Roz. Il n'aime que la chasse !

— Aussi avons-nous décidé, continuait le « conférencier », de vous faire entendre le conseiller Wilmot qui a fait le tracé de la nouvelle route.

Il y eut quelques protestations de la part de la troupe. On était venu pour protester : le meeting devait commencer par là !

Le conseiller Wilmot était un petit homme à la voix douce. Il proposa une carte du tracé de la route litigieuse et fut accueilli par des huées. Le bruit devint si violent qu'Ellen s'avança sur l'estrade.

— Nous sommes venus pour protester, dit-elle d'une voix tonnante à la foule. Nous ne mettons pas en cause la nécessité d'une nouvelle route, mais son parcours.

Le conseiller quitta alors la scène avec soulagement et le vrai meeting commença. Ellen parla avec énergie, Andrina, avec cœur. D'autres discours suivirent, mais Roz comprit que les appels aux bons vieux sentiments d'autrefois seraient vains.

Pourtant les gens du théâtre savaient intéresser une foule. Bientôt leurs « supporteurs » devinrent chaleureux !

Roz regardait souvent du côté de Tom Burrel. Etait-il réellement leur adversaire ? Il était assis au bout d'une rangée, les jambes étendues devant lui, comme chez son oncle l'autre jour. Quand un des orateurs lançait une plaisanterie, il souriait mais ne riait jamais.

C'est Andrina qui termina la séance.

— Je désire seulement dire un dernier mot. La Comédie est un petit théâtre, et nous, une petite compagnie. Mais, quand les citoyens de cette ville passent devant le théâtre, ils le *regardent* parce que, tous y ont un souvenir. Les enfants se souviennent des pantomimes, les plus âgés pensent aux burlesques. Les adolescents y ont vu les farces ou les modernes et tout le monde y a écouté Shakespeare.

» La Comédie a allumé ses banderoles de lumières devant le vieux marché il y a quatre-vingt-dix ans. Nous vous demandons de ne pas la laisser mourir !

Le meeting se termina pour Andrina comme s'achevaient toutes ses premières représentations, sous un tonnerre d'applaudissements.

Arthur était parti mais Tom vint vers eux.

— Eh ! Tom ! dit Nigel, qui connaissait tout le monde.

Celui-ci resta là un moment, posant des questions et écoutant sérieusement quand Nigel parlait. Roz eut l'impression qu'il était particulièrement réceptif quand ils discutèrent d'une alternative au tracé de la route. « Peut-être, pensait-elle, j'ai seulement envie de le croire... »

Un moment, Nigel fut attiré dans un coin par Ellen et Roz se trouva seule avec Tom.

— Aimeriez-vous une tasse de café ?

— Eh bien ! je suis avec la troupe et...

— Allons, ne refusez pas. Je ne vais pas rester sur votre liste noire jusqu'à la fin de mes jours, non ?

Il étendit les bras et la regardait d'un œil un peu moqueur. Elle sut qu'elle se rendrait ridicule en refusant.

Il l'emmena dans l'allée du Parc, dans un bar qui était vide à cette heure de la journée.

— Comment pensez-vous que s'est passé le meeting ? demanda Tom.

— C'est à vous de me le dire, répondit-t-elle prudemment.

Elle reçut alors l'extraordinaire sourire qui transformait le visage sévère. Ses yeux étaient réellement d'un bleu étonnant. Non pas bleuâtres ou verdâtre mais d'un bleu foncé très brillant.

— C'était la réunion de votre théâtre, heu... Puis-je vous appeler Rosalind ?

— Non. Roz.

— C'est très charmant.

Il réfléchit un instant.

— Je pense que vous avez été baptisée Rosalind à cause de « Comme il vous plaira » ?

— Comment l'avez-vous deviné ?

— Parce que vous êtes dans le « show business », comme on dit.

— Mon père était acteur, dit-elle. Je suis née

quand il jouait « Comme il vous plaira ». Il avait
le rôle de Jacques.

Elle lui en récita quelques vers.

— Ainsi votre père vous a donné le nom de la
plus adorable des héroïnes ?

Elle le regardait, inquiète. Il se moquait encore d'elle !

— C'est un désavantage, murmura-t-elle après
avoir réfléchi. La plupart des filles d'acteurs en
souffrent. Une de mes amies, entre autres, se
nomme Cornélia. Tous les gens s'attendent à voir en
elle une sainte !

— Mais, Rosalind était tout simplement jeune,
jolie et drôle.

Maintenant qu'elle avait la chance d'être seule
avec Tom, Roz pensait qu'elle ne pouvait l'atta-
quer au sujet des idées de son journal, car elle le
trouvait sympathique... Sa façon de parler était
assez fascinante. Il considérait, quand il faisait
une remarque, qu'elle était destinée à enrichir le
sujet traité, mais il ne parlait jamais de lui, ne se
mettait jamais en cause.

Il lui posait de nombreuses questions. Pourquoi était-elle venue à Stonebridge ? Est-ce qu'elle
aimait réellement la ville ou était-elle de ceux qui
disent aux gens ce qui leur fait plaisir à entendre ?

— C'est un des péchés que nous reprochons
aux gens du Sud, voyez-vous !

Le ton de la voix était plutôt rude, elle pouvait y entendre rouler l'accent du Nord comme on
entend le bruit de la mer dans un coquillage. Mais
elle avait déjà entendu cet accent dans certains
films à la télévision. C'était plutôt les manières de

Tom qui lui semblaient étranges. Elles manquaient de cette touche d'élégance qui existait chez Charles, par exemple ou chez Nigel Norton.

Ils terminèrent leur café, et, inévitablement, elle jeta un regard à sa montre. Elle devait être au théâtre à quatre heures.

— Vous savez, dit Tom, j'ai pensé au sort du théâtre et je crois avoir une idée. Rien de très précis, encore mais ça peut donner quelque chose.

— Vraiment ?

Il sourit à l'intensité de sa voix.

— Attention ! Ne vous attendez pas à un supplément illustré du « Post » avec un titre fracassant du genre : SAUVEZ LA COMEDIE ! Oubliez le journal pour un moment. Je pense à la partie du laïus d'Ellen Warburton où elle déclarait que la Compagnie avait besoin d'une alternative à la destruction, un local où la troupe puisse rester groupée, continuer son travail, faire encore partie de notre communauté.

« N'en parlez encore à personne, mais je crois qu'il y a une possibilité. Une grange médiévale, XIVe siècle, en bon état. Après tout, ils ont bien transformé une gare en salle de spectacle, à Londres ! Evidemment je ne connais rien au côté pratique de la chose, mais aimeriez-vous voir l'endroit, rien que pour vous faire une idée ?

— Bien sûr que je veux !

— Ne prenez pas ce visage illuminé, Roz. Je me trouverais trop idiot si cela ne s'arrangeait pas...

Ils revinrent vers le théâtre et Tom lui fit ses adieux en promettant de lui téléphoner. Pendant

tout le reste de la soirée, Roz eut l'impression
d'avoir reçu un cadeau inestimable.

Au moment où elle installait sa table d'accessoires, Nigel vint la rejoindre.

— Bon spectacle, aujourd'hui, non ? Comment avez-vous trouvé Tom Burrel ? Il vous plaît ?

Il imitait l'accent du journaliste et cela fâcha
Roz.

— Il n'a pas tellement d'accent ! Et puis, vous
l'avez aussi !

Nigel se mit à rire.

— Bon ! C'est bien ce que je pensais : il vous
plaît. Une telle véhémence... Mais, sur un tout
autre sujet, je vous rappelle que c'est demain la
première lecture du prochain spectacle. Aussi,
soyez à l'heure !

— La nouvelle pièce ! Formidable !

— Que vous êtes enfant ! Qu'est-ce qu'il y a
là de formidable ?

— Je pensais que vous aimiez la nouvelle pièce
policière ?

Nigel grommela :

— Ce n'est pas celle-là qu'on prépare. Ellen a
décidé de rassembler un énorme public, allant jusqu'aux écoliers, pour nos dernières semaines. Aussi
allons-nous reprendre : « Comme il vous plaira ».

— Oh ! Seigneur !

Nigel se donnait le droit de grogner, mais il
ne permit pas à Roz d'en faire autant.

— Vous n'aimez pas la pièce de votre baptême ?

— Ne soyez pas idiot ! Je l'adore ! Mais je
ne pense pas que ce soit le cas d'Andrina.

— Jouant la douce Rosalind ? Si, elle s'en tire-ra pas mal.

Il y eut un silence. Nigel et Roz connaissaient la pièce par cœur. Entre gens de théâtre, pas besoin de s'expliquer sur de tels sujets. Ils connaissaient trop bien la pièce... et le jeu d'Andrina...

Nigel haussa les épaules.

— Nous verrons bien ! Je suppose qu'Ellen sait ce qu'elle fait. Parfois, je me dis que nous en avons fini avec les jours heureux...

*
**

Tom téléphona à Roz pour fixer leur visite à la grange. Il faudrait que la reconnaissance ait lieu de jour, expliqua-t-il, à moins qu'ils ne se munis-sent de chandelles !

Ils décidèrent de se rencontrer pour le lunch. Tom la conduirait à la grange, l'emmènerait dans un pub proche et la ramènerait au théâtre à l'heure.

Il espérait qu'elle avait tenu sa langue.

— Pas un mot à âme qui vive ! avait-elle ré-pondu, intriguée par la nécessité d'un tel secret.

Peut-être pensait-il qu'il ne fallait pas éveiller de faux espoirs avant d'être plus avancé. Ou, peut-être, si cela ratait, ne voulait-il pas que son nom soit mêlé à un échec

Roz avait beaucoup pensé à Tom Burrel. Elle aurait aimé parler de lui avec son oncle, mais ils avaient été rarement ensemble plus de quelques minutes, ces derniers temps.

Les répétitions de « *Comme il vous plaira* »

avaient commencé et c'était encore pire que ce que
Nigel avait prévu.

Le directeur de la régie, assis devant sa table,
préparant le « Livre », ne levait jamais les yeux
sur la scène pendant ce sacro-saint exercice. Il
n'échangeait surtout pas un seul regard avec Roz.
Très occupée à préparer les disques pour le chant
des oiseaux, le bruit d'une grosse averse, etc., Roz
essayait de rester aussi impassible que son chef.

Mais, c'était Andrina qui exposait ses sentiments. Elle se plaignait de ne pas « trouver » Rosalind. Andrina était une actrice de talent et le rôle
était merveilleux : elle en connaissait parfaitement
le texte et savait comment le dire, mais elle ne
« devenait » pas Rosalind, n'arrivait pas à la faire
vivre.

Ellen Warburton était infiniment patiente et
pleine de tact, décrivant le voyage dans la forêt,
comme une promenade dans un lieu de légende où
chacun se retrouve, et découvre aussi les autres,
ceux qui partageront la même vie. Rosalind était
un exemple de joie, d'amour, d'étonnement, disait-
elle.

Andrina écoutait, en se mordant la lèvre. Cela
n'améliorait pas les choses.

— Ça la démonte ! dit un jour Nigel à Roz à
l'heure du lunch. Elle sait qu'elle n'est pas bonne.

— Elle le deviendra parce qu'elle y est déter-
minée !

— Je ne crois pas. Il y a des cas...

— Non, je crois qu'elle y arrivera, maintint
Roz.

Elle se souvenait de ses années d'études à l'école

d'Art dramatique. Elle y avait échoué faute de
savoir, de pouvoir se « projeter » dans ses rôles.
Elle avait vu des actrices dans le cas d'Andrina, et,
pour la première fois, se sentait de cœur avec elle,
parce qu'elle représentait le théâtre, avec un T
majuscule.

Nigel riait et disait qu'il espérait que les spectateurs et surtout les critiques sentiraient les choses
de la même façon.

*
**

Roz eut un après-midi très chargé ce jour-là.
Une liste impressionnante de courses pour Cragge.
Celui-ci avait décidé de présenter « Comme il vous
plaira » dans les tons bruns et blancs. Une pièce
d'hiver. Et Roz partit à la recherche de douzaines
de branchages artificiels. Cragge ne pouvait utiliser
des vrais branchages qui bruissaient et se cas-
saient sous les pas des acteurs.

Les bras surchargés de ses achats, Roz revint
au théâtre, alors qu'une petite répétition était en
cours. Andrina était présente et Nigel et Ellen
étaient assis côte à côte, regardant le « Livre ».

Roz s'assit par terre. Andrina déclamait la célèbre phrase :

« Les hommes sont avril quand ils courtisent,
décembre quand ils épousent. »

Ellen écoutait attentivement.

— Oui. C'est mieux, mais pas encore tout à
fait assez léger...

Elle regardait autour d'elle, passa la main dans
ses cheveux, se demandant comment elle pourrait

expliquer sa pensée. Et, soudain, son regard brilla.
Un coup d'œil sur Roz lui avait rappelé que la
jeune fille avait reçu ce prénom à cause de la
pièce.

— Roz, dit-elle brusquement, comment diriez-
vous cette tirade ?

— Je ne pense pas que cela demande de l'émotion, dit celle-ci, pensivement. Shakespeare utilisait les mots exactement d'après le sens qu'il
voulait leur donner. On n'a pas à y ajouter une
intention supplémentaire.

Alors, elle vit le regard d'Andrina, et sut qu'elle
venait de se faire une mortelle ennemie.

*

Quand Tom Burrel vint la chercher le lendemain, Roz fut enchantée de quitter pour un moment
l'atmosphère très lourde de la Comédie. Andrina
était dans ses pires humeurs. Roz devait littéralement s'écraser contre les murs pour l'éviter lorsqu'elle se trouvait sur son passage. Même Ellen
semblait tatillonne, faiseuse d'embarras.

Tom salua Roz très amicalement et l'élégante
voiture de sport les emmena tout de suite hors de
la ville.

— Qu'est-ce que vous connaissez de notre
région, depuis que je vous ai vue à la gare ?
demanda Tom, en accélérant.

Roz avoua qu'elle n'avait pas été plus loin que
le Dene, le théâtre et les boutiques. Oh ! Pourtant :
si ! Un dimanche, son oncle l'avait emmenée dans
une église magnifique : Saint-Xavier.

— Vous ne comprendrez pas la contrée tant que vous n'aurez pas vu sa campagne. Stonebridge a quelques environs qui sont loin d'être beaux mais dès qu'on arrive en pleine nature, vous avez ceci !

Ils suivaient une route solitaire, passèrent devant une tour en ruines et arrivèrent à un pont où la rivière, rejointe par un affluent, s'élargissait et devenait plus profonde. Les champs descendaient paresseusement vers un bois sombre et, au loin, se dessinait la douce ligne des collines.

La lumière était légèrement bleutée comme un cristal. Au loin un miroitement indiquait un lac.

Roz était très surprise. Qu'était devenu l'homme sévère de Stonebridge ? Tom était animé, même bavard ! Il parlait de sa contrée avec, dans la voix à l'accent nordique, quelque chose qui ressemblait beaucoup à une émotion.

— C'est splendide ! s'exclama Roz.

— Oui... Ce n'est pas mal...

Ils quittèrent les abords de la rivière et la campagne devint moins sauvage, plus familière. Tom ralentit pour tourner dans un petit chemin.

— Nous y voilà !

Ils étaient à l'entrée d'une ferme et Tom, rapidement descendu de son siège, ouvrit une porte cochère. Derrière, dressée assez près de la route, une énorme grange.

C'était dans des endroits de ce genre qu'on venait collecter les fermages, des centaines d'années auparavant, expliqua-t-il, comme ils avançaient vers la porte immense à double battant.

« Curieux de penser qu'on pourrait y voir de nouveau des foules... »

Les portes étaient cadenassées mais Tom avait les clés. Le propriétaire, lui dit-il avait autorisé la visite. Quand il poussa le battant, le vantail gémit.

— Je crois qu'il n'utilise jamais ce local, ajouta-t-il.

C'était immense, plein d'échos, pavé à l'ancienne, et l'odeur du foin, retenue entre les hauts murs, faisait trouver vraisemblable de transformer cette nudité en un cadre de spectacle. Un peu comme dans un conte de fées.

Tom suivit Roz, tandis qu'elle errait d'une extrémité à l'autre du vaste espace. Elle essayait d'imaginer l'endroit transformé, y construisait une scène, des balcons. Dieu sait que la hauteur ne ferait pas défaut !

— Ne soyez pas si tendue. Roz, dit enfin Tom. C'est une simple suggestion. Et je ne sais si elle pourra jamais prendre forme.

— Moi, je crois que c'est possible !

Sa voix emphatique, sa théâtrale prédiction le firent rire.

— Maintenant, laissez-moi vous emmener manger quelque chose et vous réchauffer. Vous avez le nez tout bleu.

Alors, Roz se rendit compte seulement qu'elle avait froid.

Ils s'arrêtèrent dans un pub sur la route du retour. On leur donna du pain et du fromage.

— Nous appelons cela le lunch du laboureur, dit Tom.

Roz fut vite réchauffée par le bon feu de bois dans l'âtre et la présence de Tom. Il était plus âgé qu'elle, intelligent, et il donnait cette curieuse

impression de force rugueuse, comme s'il avait
été bâti pour une existence hors du commun, pour
des batailles qu'il gagnerait toujours...

Et pourtant, quand il souriait son visage ridé
avant l'âge prenait une expression fascinante.

Il la taquina au sujet de sa bévue le soir de la
première d'« *Intimité* ».

— Cela ne m'arrivera plus jamais ! Je connais
mes listes par cœur.

— Vous n'en auriez pas une sur vous, par
hasard ?

Elle se sentit rougir. Comment avait-il pu le
deviner ?

Quand elle se décida à en tirer une de sa poche,
il la lut à haute voix :

— ... mmmm... Un cerf empaillé ? Non, çà, je
ne le crois pas.

— Mais si, je vous assure ! Je l'ai trouvé dans
une boutique de brocanteur. Mais c'est une vieille
liste. « Oh ! Cessez donc de rire ! J'avais... j'avais
oublié ! »

Mais Tom n'arrivait pas à se calmer.

— Il devait être plus gros que vous ! Et comment avez-vous pu oublier une chose pareille ?

— Vous n'oubliez jamais rien, je suppose ?

— Un rédacteur en chef ne peut se le permettre.

— Oh ! Pardon ! J'avais oublié combien vous
étiez important...

— C'est très sot de votre part. Mettez-moi en
tête de votre liste. Au-dessus du cerf, si ça ne vous
fait rien...

Ils revinrent vers le théâtre, parlant de la grange

et de leur prochaine rencontre. Roz n'avait pas dit mot pendant la route, et n'en avait pas eu envie. Après tout, elle faisait déjà tout ce qu'elle pouvait... Et elle aimait bien Tom, maintenant.

Il la déposa au coin du marché.

— Au revoir, Roz. Je vous appellerai.

— Merci pour la grange... Et pour tout !

— Et vous pensez qu'on peut la proposer à Ellen Warburton ?

— Oui ! Je le crois !

Quand il l'eut quittée, elle se sentit légère et joyeuse. Elle fut particulièrement aimable avec Nigel, étonné de ses attentions.

— Tant de gentillesse ? ironisa-t-il gentiment. Je me demande bien pourquoi ?...

CHAPITRE V

L'après-midi fut entièrement consacré à
« *Comme il vous plaira* ». Cragge l'envoya en ville
pour d'autres accessoires ; Nigel eut besoin d'aide
pour quelques feuillets à dactylographier. Elle eut
à peine le temps de penser à la grange et de se
demander avec qui il valait mieux commencer à en
parler. Ellen ou Nigel ?

Elle quitta le théâtre à cinq heures pour prendre
le thé avec son oncle. Il lui manquait quand elle ne
l'avait pas vu de quelques jours. Elle se sentait
bien auprès de lui. Quand elle lui parlait, il l'écoutait gravement, et, quelquefois — pas toujours —
lui disait ce qu'il pensait.

« Oui, songeait Roz, Arthur était celui à qui
il faudrait parler de la grange. Il la conseillerait sur
la façon d'aborder le sujet avec Ellen. »

Son oncle était déjà installé à table.

— Désolé de ne pas vous avoir attendue, Roz,
mais Judd faisait des embarras. Racontez-moi votre
journée.

— Je pense que quelque chose de bon est
arrivé aujourd'hui, dit-elle en se servant généreuse-

ment du célèbre flan maison. J'ai rencontré Tom Burel et vous ne pouvez imaginer ce qu'il m'a proposé.

Elle raconta toute l'histoire, et termina un peu emphatiquement en exposant à Arthur la théorie du théâtre en rond, de la grange devenant La Grange.

Son oncle ne dit rien. Mais elle était accoutumée à ses silences. Dans ces moments de réflexion, parfois son œil brillait. Elle espérait que ce serait le cas ce soir.

— Est-ce que ce ne serait pas épatant ?

Elle ne remarqua pas la qualité du silence d'Arthur.

— Est-ce que ce ne serait pas sensationnel, Arthur ? Vous savez ce que la Comédie représente pour nous tous ?

— Oui, je le sais.

Cette fois, le silence lui parut anormal. Il durait trop.

— Qu'est-ce qui se passe, Arthur ?

Il fourragea dans sa barbe un instant, puis :

— Je ne voudrais pas verser de l'eau froide sur vos espoirs, Roz. Mais je dois vous mettre en garde au sujet de Tom.

Elle sentit ses joues brûler, non de gêne, mais réellement d'effroi.

— Je crois que vous n'avez pas assez réfléchi, Roz, que le traître de la pièce est son père, Jack Burel. Je pense que je le connais mieux que n'importe qui, et, quand il a une idée dans la tête, le diable lui-même ne l'en ferait pas démordre. Jack est, à fond, pour la démolition du théâtre. Il n'a jamais aimé ce vieux quartier de Stonebridge. Et,

au théâtre, il préfère la télévision. Ce que cherche
constamment Jack, c'est une cause pour son journal, une campagne qui remue les gens. La route,
c'est exactement çà ! Je l'ai vu hier et il me l'a dit.

— Je ne comprends pas...

— Vous devriez pourtant ; Tom offre probablement cette grange pour arrêter Ellen et vous empêcher tous de faire trop d'embarras. Dans un certain sens, ce meeting de protestation a ému la
foule. Encore quelques manifestations de cet ordre
et le « Post » pourrait se trouver du mauvais côté.
Non pas que la ville n'ait pas besoin de cette route,
mais on pourrait en changer le tracé. Alors, qu'ar-
rive-t-il ? Soudainement, Tom offre la grange comme
une alternative. Juste la chose dont les gens de
théâtre pourraient se réjouir.

« N'est-ce pas réellement une politique
adroite ?

— Oh ! Arthur !

— Mon enfant, répliqua-t-il, presque choqué
par le ton douloureux de Roz, ne prenez pas cela
trop à cœur. Rien n'est perdu quand on connaît le
jeu de l'adversaire.

Mais Roz savait bien que c'était son cœur qui
venait d'être meurtri.

*

La température avait été terriblement basse
depuis quelques jours, et, ce matin-là, quand Roz
se rendit au théâtre, le ciel avait à l'horizon une
curieuse couleur : un mélange de cuivre et de

plomb. Avant qu'elle fût arrivée, la neige tombait à gros flocons.

Elle secoua son manteau et ses cheveux dès le seuil franchi. Eddy la guettait.

— Monsieur Burrel vous a appelée. Il a dit que vous pouviez téléphoner à n'importe quelle heure de la matinée.

— Merci, Eddy.

— L'avait pas l'air content, vous savez ! Très sec avec moi !

— Désolée, Eddy. J'appellerai ce matin sans faute.

La même phrase l'accueillit quand elle entra dans son bureau. Avec un mot de plus.

— Tom Burrel a *encore* appelé, lui dit Nigel.

Roz se sentait aussi déprimée que furieuse. Quelle idiote elle avait été avec Tom : buvant ses paroles, pleine d'admiration ! Et l'histoire de la grange ! Il avait dû la prendre pour... pour une demeurée ! Le cœur de Roz était lourd...

Nigel reposa le téléphone et se pencha en arrière sur sa chaise, les pieds posés sur son bureau.

— Vous avez bien mauvaise mine, ce matin, Roz. Andrina vous a-t-elle encore sucé un peu de sang ?

— Je suis très bien, merci.

Elle soupira.

— Je ferais aussi bien de téléphoner à Tom Burrel.

— Je l'espère bien ! L'étoile montante du « Post » ! Et il vous a déjà appelée quatre fois ! m'a dit Eddy. Jouez-vous si serré, ma chère ?

— Ne soyez pas stupide !

Nigel haussa un sourcil. Qu'est-ce qui se passait avec Roz ? Souriante et gaie un moment, puis une minute plus tard, plongée dans le plus profond des cafards...

Il ne savait pas du reste, pourquoi il s'en inquiétait tellement. D'habitude les petites jeunes filles ne l'intéressaient pas. Trop de responsabilités ! Bien plus tranquille avec des partenaires qui connaissaient déjà la vie. Pourtant Roz..., c'était différent. Et puis, il était intrigué par cette histoire Burrel. Il écouta sans se gêner quand elle prit l'appareil.

« — Hello, Roz ! s'exclama Tom au bout du fil. Pouvez-vous me rejoindre pour déjeuner ? Et que devient l'idée de la grange ? Je me demandais si vous aviez eu l'occasion d'en parler à Ellen. J'essaie de vous atteindre depuis des jours. »

« — Très occupée. »

« — Sûrement ! Mais il faut bien que vous mangiez ! »

« — Non. Enfin, je veux dire, je ne peux pas. Nous sommes en retard pour la prochaine représentation, et j'ai beaucoup à faire. Merci. »

Le son de la voix de Tom la troublait.

« — Ne pouvez-vous trouver quelques minutes pour moi ? » insista-t-il.

Roz, soudain aussi furieuse que désespérée, lui coupa la parole.

« — Non. Je vous l'ai dit. Je suis trop occupée. Au revoir. »

Elle reposa violemment l'appareil.

Comme elle levait les yeux, elle rencontra le regard éberlué de Nigel.

— On peut savoir ce qui se passe ?

— Rien du tout.

— Allons Roz ! Confessons-nous à oncle Nigel... Tom vous a bouleversée. Vous a-t-il trahie ? Vous l'êtes-vous imaginé ? Peut-être est-il navré et cherche-t-il à se faire pardonner ? C'est un bon garçon, vous savez !

— Je n'ai pas envie d'en parler et je ne le ferai pas. Laissez-moi donc tranquille ! cria-t-elle en quittant la pièce en courant.

Au cours de l'après-midi. Nigel eut le plan de « *Comme il vous plaira* » ; Roz et lui marquèrent sur la scène avec des craies de couleur les différents emplacements des murs et des portes, le trône, la fontaine, les arbres. De cette façon, les acteurs sauraient reconnaître les endroits où ils devaient se mouvoir.

Nigel quitta la scène en laissant Roz terminer le travail, pour aller rejoindre Stanley Kettler dans son bureau. Elle était à genoux, entourée de ganses jaunes, quand John Cragge arriva. Il attendit en silence qu'elle eût fini et grogna alors :

— Bon ! Ça ira.

Cragge était l'homme avec lequel elle travaillait le plus, après Nigel, mais elle ne savait rien de lui. Dans cette région où personne ne se perdait en paroles, c'était lui qui avait le répertoire le plus bref.

Grand et large, avec un visage sans couleur et une énorme moustache noire, il avait toujours une quantité incroyable d'objets dans ses poches boutonnées. Nigel disait souvent qu'il devrait vivre dans les landes, monté sur un poney et brandissant une cravache.

Il lui demanda soudain si elle voulait l'aider à
peindre une toile pour représenter la forêt, puis,
dès l'accord de Roz obtenu, il tourna les talons.

Elle emprunta une blouse dans une armoire proche et passa encore quelques heures à genoux, le
nez dans des pots de peinture noire et marron. L'espace était compté dans les coulisses et elle avait
des crampes partout quand elle put se redresser.

Dans les lointains, on entendait quelques bri-
bes d'une répétition en cours. Andrina avait enfin
« attrapé » le rôle de Rosalind. Tout l'après-midi
Roz entendit ainsi « sa » pièce, celle dont son
père lui parlait le plus volontiers quand elle était
enfant ; tandis qu'agenouillée, elle peignait des
branches aussi sombres que ses pensées.

La répétition s'interrompit et elle fila jusqu'à
son bureau pour se débarrasser de sa blouse et
prendre son manteau. Elle ne s'était jamais sentie
aussi fatiguée.

Elle avait oublié la neige du matin. Mais quand
elle arriva à la porte, Eddy lui cria :

— J'espère que vous portez des bottes, ma
chère ?

Elle ouvrit et regarda au dehors, incrédule.
Depuis qu'elle était arrivé au théâtre, la neige
n'avait pas dû cesser de tomber. Les rues et le
marché n'étaient plus reconnaissables. Les voitures et les stalles étaient encapuchonnées de blanc,
les feuilles mortes se mêlaient aux flocons. La neige
continuait à tomber, gommant toute la façade du
théâtre : les chérubins avaient disparu.

Elle prit assez facilement le chemin du Dene.
Dans la ville silencieuse et déserte, la couche de

neige avait été suffisamment foulée dans la journée pour que la marche fût possible, mais quand elle atteignit la montée du Dene ce fut une autre histoire. Sur les trottoirs, la neige s'était verglacée et sur les bordures d'herbe, on enfonçait jusqu'aux genoux.

Et quel silence !... Elle avait l'impression d'avancer dans une allée de cimetière.

Glissant et titubant, elle se sentait aussi seule que si elle avait été l'unique survivante d'un monde mort.

— Ma chère enfant ! s'exclama Arthur en lui ouvrant la porte. Pourquoi n'avez-vous pas pris un taxi ? On ne *marche* pas par un temps pareil, si l'on n'a pas vraiment envie de se casser une jambe ! Et vous êtes trempée ! J'ai fait couler un bain. Montez tout de suite.

Elle redescendit une demi-heure plus tard séchée, réchauffée, drapée dans sa robe de chambre. Arthur l'attendait pour le thé. Il lui dit sévèrement de ne plus jamais recommencer une pareille imprudence.

— Promis.

— Etes-vous tombée souvent ?

— Seulement deux fois. Mes chaussures ont des semelles antidérapantes.

— Rosalind, j'ai remarqué que vous n'aviez pas de bottes. Ici, c'est indispensable. J'insiste pour vous en acheter une paire dès demain. Et ne sortez plus seule dans la neige. Elle est bien plus épaisse ici que dans le Sud et plus méchante. Elle vous surprend traîtreusement. Promettez-moi de louer un taxi quand je ne pourrai aller vous chercher par des temps pareils. Maintenant, installez-vous et prenons un bon thé. J'ai des nouvelles.

— Je n'ose espérer qu'elles soient bonnes.

Cependant, tout à l'heure, tandis qu'elle luttait contre la neige, elle s'était sentie moins déprimée. Elle avait vingt-deux ans, et l'étrangeté du paysage, la promenade silencieuse dans un monde qui paraissait au-delà du réel, lui avaient fait oublier pendant un moment son cœur douloureux.

Arthur annonça :

— Demain, je dois voir Jack Burrel. Aimeriez-vous venir avec moi, Roz ?

— Pas tellement, non, merci.

Son oncle la gratifia d'un regard perçant.

— Je pensais que vous aviez à cœur le bien de la Comédie. Voilà une chance de voir l'ennemi à visage découvert.

— Je l'ai déjà fait.

— Tom Burrel et la grange ? Simple déplacement d'un pion sur l'échiquier. Vous devriez rencontrer Jack. Ça, c'est un caractère. Il vous plairait.

— Oh ! Non, Arthur !

— Ce n'est pas le bon moyen de conduire une campagne. Vous devez allez à l'ennemi pour connaître ses intentions réelles.

« Ellen est comme vous. Elle préfère ne pas rencontrer son adversaire. Elle m'a expliqué, un jour, qu'elle craignait de comprendre ses raisons et, ainsi, d'affaiblir ses propres positions. « Moi, continua Arthur froidement, j'estime que connaître le point de vue de l'adversaire fait partie de la règle du jeu.

« Venez avec moi, Roz. Il faut rencontrer Jack. Vous n'aimez donc pas le risque ?

Il était impossible à Roz de continuer à refuser. Elle aurait l'air trop stupide. De plus la chance était du côté d'Arthur. C'était la première demi-journée de congé de la jeune fille depuis le début de la semaine.

— Mais je n'aimerai pas cet homme, Arthur !
— Il en a l'habitude.

La neige tomba toute la nuit et Roz rêva qu'elle faisait une ascension en montagne mais dégringolait toujours avant de parvenir au sommet. Ce sommet où, bien assuré sur ses jambes un peu écartées, Tom l'attendait avec un sourire moqueur.

Elle s'éveilla au grattement d'une pelle sur le gravier de l'allée. Par la fenêtre, elle vit Arthur vêtu d'un vieux et chaud pull-over, le cou enfoui dans un énorme cache-nez, en train de nettoyer le chemin.

Dans le parc du Dene, des enfants faisaient de la luge. Ils avaient déjà construit un bonhomme de neige curieusement coiffé d'un bonnet rouge.

Avant de quitter la ville pour leur visite au propriétaire du « Post », Arthur emmena sa nièce dans le centre pour lui offrir la paire de bottes dont il avait été question la veille.

Celles qu'il choisit étaient très belles, merveilleusement souples. Un rêve !

Il parut embarrassé par les remerciements de Roz. Détournant les yeux, il tomba en arrêt sur un bonnet de laine blanche dans une vitrine voisine, avec le cache-nez assorti.

Il l'obligea à acheter l'ensemble, et paya sans lésiner.

— Oh ! Arthur, vous n'auriez pas dû...

— Je cherche tout simplement à vous éviter d'avoir les oreilles gelées. Une nièce sans oreilles me couperait l'appétit à l'heure du thé...

Roz, agréablement emmitouflée, prit place dans la voiture auprès de son oncle. Elle fut si occupée à regarder le somptueux paysage de neige qu'elle eut à peine le temps de penser à l'imminente rencontre avec le père de Tom.

Tout en caressant la laine douce de son cache-nez neuf, elle pensa, comme cela lui arrivait parfois, au mince vestiaire et au peu d'argent dont elle devait se contenter. Elle savait qu'elle pourrait être jolie et même belle si elle était vêtue, par exemple comme Andrina, mais quelle importance !...

La voiture avait déjà parcouru quelques kilomètres quand Roz reconnut, à un tournant de la route, une grande porte qu'elle n'avait pas oubliée.

— Oh ! Arthur ! C'est la grange !

Son oncle lui jeta un regard ironique.

— Comme c'est astucieux de la part de Tom ! Elle appartient à sa famille...

Roz ne répondit pas. Elle était furieuse et consternée.

Ils prirent un chemin conduisant à une demeure ravissante de la fin du XVIIIe siècle, qui avait autrefois appartenue, lui dit Arthur, à des hobereaux de la région.

Construite en pierres du pays, elle présentait

une façade régulière, aux fenêtres massives. La porte était flanquée de deux piliers.

Elle leur fut ouverte, cette porte, par une femme au physique d'oiseau qu'Arthur salua amicalement d'un : « bonjour, madame Linnet ».

La dame avait un squelette fragile, des yeux vifs au regard inquiet et une façon sautillante de se déplacer. Quand elle souriait, son visage était charmant.

— Bonjour, monsieur Ford. Montez directement au premier, je vous prie.

Arthur eut à peine le temps de lui présenter sa nièce avant qu'elle ne s'échappât. Il quitta son pardessus et dit d'un ton assez satisfait, qu'il reconnaissait le regard de Mme Linnet. Le temps devait être à l'orage...

Il ajouta :

— Un cœur solide est nécessaire au moment de l'épreuve.

Roz ne trouva rien à répondre à cette phrase sentencieuse.

Le sol du hall était un carrelage de marbre noir et blanc qui faisait penser à un grand échiquier. La balustrade de l'escalier était une délicate boiserie blanche et or. L'ensemble était plus que cossu : riche.

Les peintures, les rideaux, les tapis, donnaient une impression de luxe sobre.

Son oncle frappa à une porte au bout d'une galerie et une voix cria, non pas : « Entrez ! », mais : « Enfin ! »

Ils entrèrent dans une vaste chambre rendue plus grande encore, parce que les deux immenses fenêtres ouvrant sur le jardin lui donnaient une dimension supplémentaire.

Dans un large lit de bois sculpté, un homme était couché, soutenu par un nombre respectable de coussins. Roz en compta neuf pendant que les deux hommes se saluaient. Une infirmière en tenue, assise près de la cheminée, se leva quand Arthur alla vers elle.

— Vous êtes en retard, comme d'habitude !

Telle fut la phrase d'accueil du malade. Un malade solide, pensait Roz en le détaillant. Un cou de taureau, une tête carrée d'empereur romain, la mâchoire saillante et des yeux bleus un peu délavés par le temps : tel se présentait Jack Burrel dans sa soixantième année.

Arthur le félicita sur sa meilleure mine et compatit au rhume très visible qui enflammait le visage de l'infirmière.

— Votre malade va mieux mais vous devriez vous soigner...

— Depuis quand êtes-vous capable de donner un avis médical ? l'interrompit le maître de maison.

Arthur se contenta de rire.

— Vous pouvez sortir, dit alors Jack Burrel à sa garde. Nous aurons ainsi moins de chances d'attraper vos microbes...

« On ne me présente pas la jeune dame ? ajouta-t-il avec un regard perçant en direction de Roz.

— Dès que je pourrai placer un mot, déclara calmement Arthur. C'est ma nièce. Vous vous souvenez de ma sœur Reine et de son mari ? C'est leur fille.

— Elle ne ressemble ni à son père ni à sa mère.

— J'ai les cheveux de mon père. Il était blond.

— Pas quand je l'ai vu pour la dernière fois, ricana Jack Burrel. Il était gris comme un blaireau.

Arthur alla prendre la place de l'infirmière près du feu et le malade se mit à bombarder Roz de questions.

La jeune fille était parfois intimidée. Devant quelqu'un qu'elle admirait beaucoup, par exemple. Mais face à cet homme qui prenait plaisir à essayer d'embarrasser ses interlocuteurs, elle ne se sentait même pas nerveuse.

Elle partageait un peu l'amusement qu'il semblait inspirer à son oncle. jusqu'à ce qu'elle se souvînt que cet homme était contre le théâtre. Alors elle perdit son sourire.

— Votre oncle m'a dit que vous travailliez pour Ellen Warburton au vieux Burlesque.

— Il emploie toujours ce terme, bien que le théâtre ait été débaptisé depuis plus de cinquante ans, dit Arthur.

— Mais oui. Pourquoi pas ? C'est de toute façon une horreur ! Mon fils Tom n'aime guère ce qu'on y donne. Non que je pense du mal du travail que fait là-bas Ellen. Personne ne pourra m'accuser de ne pas être juste !

— Oh ! si. Les gens le peuvent et beaucoup le font, répondit Arthur très calmement.

La porte s'ouvrit et Mme Linnet entra, portant un lourd plateau. Roz se précipita pour aller l'aider.

Pendant le repas délicieux, la conversation fut générale. Tout en faisant des mines, Jack Burel mangeait autant que les autres. Il réclama pourtant au dessert sa boîte de biscuits au pippermint.

— ... pour la jeune dame...

Avant le café, l'infirmière reparut pour administrer quelque médecine. Le malade fit beaucoup d'embarras, devant l'impassible Emily.

— Vous devriez être soigné par un vieux Tartare, ancien boxeur poids lourds. J'en toucherai un mot à votre médecin, dit Arthur.

Jack Burrel ne daigna pas répondre, mais reprit un biscuit.

— Vous avez entendu parler du meeting de protestation, au sujet de la Comédie ? demanda son visiteur sur un ton très banal.

— Je lis mon propre journal. Merci.

— Alors, vous avez dû lire le compte rendu de Tom ? Mais vous a-t-on prévenu que l'état d'esprit de toute la population est resté le même que ce jour-là

— Ce qui veut dire exactement quoi ?

— Que Tom n'a pas rendu justice à cette réunion. Il n'a dû y jeter qu'un rapide coup d'œil. Ou peut-être a-t-il obéi à quelque consigne ?

Chaque nouvelle réplique de son oncle le faisait monter plus haut dans l'estime de Roz. Bravo ! avait-elle envie de crier à chaque échange.

— Vous voulez dire par là que le « Post » est de parti-pris ? grogna Jack.

— Parfois, oui. Et quand les gens de ce journal persistent à dire qu'ils sont impartiaux... Tenez ! Prenez la route circulaire, par exemple. Non, non ! Laissez-moi finir. Vous aurez votre tour pour répondre ensuite.

— Mon tour ? Jouons-nous ? Et à quel jeu ?

— Nous jouons, oui. Et c'est moi qui ai la première donne. Pour commencer, j'espère que vous n'avez pas l'intention de nous faire, à Rosalind et à moi, un speech très documenté sur l'importance de cette route. Une voie qui contourne une ville au lieu d'en obstruer les rues étroites avec un trafic trop lourd est incontestablement une nécessité. Tout le monde, ici, sait cela, et le « Post » ne l'a pas inventé. La première suggestion en a été faite au conseil municipal, il y a des années. Le litige n'est pas la route elle-même, mais qu'un bâtiment ancien de la ville, d'intérêt historique et d'utilité sociale soit, à cause d'elle, appelé à disparaître. Les gens ne considèrent pas cela comme inévitable. Qui plus est, ils ne comprennent pas pourquoi votre journal ne présente pas une objection à ce projet, avec un esprit ouvert. Nous pouvons donc dire dans ce cas que le journal est de parti pris.

— Nous pensons que le « Post » désire que le théâtre soit détruit, dit Roz, d'une voix nette.

C'était la première phrase qu'elle prononçait depuis le déjeuner, et elle prit Jack par surprise. Il la regarda attentivement.

— Je ne peux pas admettre qu'on parle ainsi.

— Mais vous n'auriez aucun chagrin si le théâtre et le marché étaient démolis ?

— Les endroits bien nettoyés sont toujours les bienvenus, dit-il avec un ricanement qui déformait à peine sa mâchoire carrée.

Roz se sentit rougir de colère. Il lui semblait que le vieil homme qui la regardait avec des yeux rusés était déjà derrière le volant du bulldozer chargé de mener rondement la démolition.

— Cela ne vous ennuie pas de supprimer un souvenir du passé ? Vous êtes en train de vouloir détruire un arbre, un vieil arbre encore solide et sain, qui a mis des centaines d'années à pousser !

— C'est trop fort ! se plaignit Jack Burrel.

Il se tourna vers Arthur.

— La jeune dame sait-elle qu'elle parle à un homme qui a planté plus d'arbres qu'elle n'a pris de repas chauds depuis sa naissance ?

Jack se tourna vers Roz comme s'il espérait qu'elle allait rire à une plaisanterie faite contre elle.

Elle soupira. A quoi bon se battre ! Le vieil homme était puissant dans la ville et il faisait parler son journal comme s'il était son mannequin dans un exercice de ventriloquie... Tom était tout juste ce mannequin. Son père tirait les ficelles.

Arthur et Jack parlèrent encore un moment de la route circulaire, mais sans élever la voix. De temps à autre, ce que disait Jack faisait rire Arthur. Roz fixait le parquet sans essayer même d'entendre. A un moment donné, Arthur mit la conversation sur les affaires du conseil municipal et la jeune fille qui trouvait le temps long se demandait quand il se déciderait à l'emmener. Mais c'est Jack qui lança, tout à coup :

— Vous voudrez bien nous excuser, jeune dame. J'ai besoin de discuter de quelque chose de confidentiel avec votre oncle. Pourriez-vous aller faire un petit tour quelques minutes ?

« Il me traite comme si j'avais cinq ans ! pensa

Roz. Elle le remercia froidement pour le déjeuner et quitta la chambre.

Elle descendit dans le hall éclairé par un pâle rayon de soleil. La maison avait cet air rêveur que donne aux vieux murs un grand silence. On se serait cru dans un palais enchanté. Celui de la Belle au Bois dormant, peut-être ? Mais là-haut, il y avait la méchante fée...

Dans le hall, c'est l'infirmière qui parut, tout emmitouflée. Elle s'apprêtait à faire un tour, certainement.

— Puis-je vous accompagner ? demanda Roz.

— Mais bien sûr ! J'allais un moment promener le chien.

Emily était jolie, quand elle ne reniflait pas, songeait Roz en l'accompagnant.

Celle-ci regarda sa montre, une grosse montre d'infirmière.

— Le thé est à trois heures. Nous avons le temps d'un petit tour au jardin.

— A trois heures, le thé ? s'étonna Roz. Nous venons tout juste de finir notre café.

Emily pinça les lèvres. Il lui semblait indécent de discuter son malade, même pour une question gastronomique. Elle siffla et un magnifique labrador parut, frétillant de tout l'énorme panache de sa queue. Roz se pencha et caressa sa douce toison.

— C'est le chien de Tom, expliqua Emily, en prenant les devants vers le jardin ensoleillé. J'aime vivre à la campagne, murmura-t-elle en humant l'air froid, d'un nez toujours aussi rouge.

— J'ai toujours pensé que la vie d'infirmière était pénible, dit Roz.

— Elle a de nombreux avantages. Bien sûr, il y a des patients difficiles mais nous y sommes habituées.

— Comme monsieur Burrel ? dit Roz.

Emily parut encore plus choquée que précédemment.

Ciel ! pensa la jeune fille. J'oubliais que c'est seulement au théâtre qu'on peut dire tout ce qui vous passe par la tête...

— Vous appartenez à la Comédie ? demanda Emily, changeant de sujet avec tact. Tom me parlait de votre théâtre, l'autre soir. Il m'a promis de m'emmener voir « Comme il vous plaira ».

Roz répondit que c'était une très bonne idée et que la pièce était intéressante.

Elle marchait rapidement dans la neige, de plus en plus furieuse, contre Tom, qui la traitait comme un pion sur l'échiquier. Comme il faisait certainement avec cette Emily !

Aucune importance, du reste ! Qu'est-ce que ça pouvait lui faire, à elle, Roz Matthiews, que Tom emmène cette fille au théâtre ?

Emily siffla le chien qui jouait plus loin. Il revint en louvoyant joyeusement dans la neige.

— Connaissez-vous Tom Burrel ? demandat-elle.

— Pas beaucoup.

Elles rentrèrent dans la maison, et Emily, emmenant le chien, laissa Roz dans le hall, les joues picotantes du froid vif et du vent. Arthur descendait l'escalier.

— Je vous ai aperçue vous promenant dans le jardin. Il ne devait pas y faire chaud. Aimez-vous cette maison ? Je crois vous avoir dit qu'elle a appartenu à un baronnet. Voici le portrait d'une de ses filles.

Il indiquait un pastel sur le mur du hall. Un joli visage, un sourire doux. Des yeux aux longs cils.

— Il semble qu'elle n'ait jamais eu un souci au monde ! déclara Roz après l'avoir regardée un moment avec un soupir.

CHAPITRE VI

La neige était gelée et dure quand ils repartirent en voiture. La contrée blanche s'étendait à perte de vue. Derrière la masse sombre des arbres dénudés s'estompait, au loin, les contours d'une église en ruines.

Silencieuse, Roz restait blottie sur son siège, comme l'enfant boudeur qu'elle aurait pu être, sous son bonnet de laine, songeait Arthur, en lui jetant de temps à autre un furtif coup d'œil.

— Roz, est-ce que le vieux Jack vous aurait un peu déprimée ?

— Plus qu'un peu, Arthur !

— Découragée, vraiment ?

— Tout à fait sans espoir, répliqua-t-elle avec une moue.

— Mais, non ! Cela ne va pas si mal que çà !

— C'est pire que tout ce que je pouvais craindre. Contre un homme comme celui-là, comment pourrait-on garder le moindre espoir ?

— Je vous surprendrais, n'est-ce pas, en vous disant qu'il a du cœur ?

— Je ne serais pas surprise, Arthur. Je serais

stupéfiée ! Je sais que vous le connaissez depuis
longtemps. Peut-être était-il autrefois comme vous
le croyez encore aujourd'hui. Moi, je n'ai pas les
mêmes raisons d'être indulgente.

— Que vous a dit Emily, la martyre, de son
malade ?

— Absolument rien. J'ai fait une petite allu-
sion à ses mauvaises manières, mais ça n'a rien
donné. Est-il très malade ?

— Il a eu une petite attaque, il y a quelques
semaines et... Bref, son médecin l'avait prévenu
depuis longtemps qu'il devait se ménager. Trop de
tension. Bien sûr, il n'a pas voulu l'écouter. Heureusement, il va beaucoup mieux, mais la malheureuse infirmière a le peu enviable devoir de l'obliger à marcher plusieurs fois par jour dans sa chambre. Elle doit avoir l'impression de faire faire de
l'exercice à un lion en cage...

Arthur conduisit un moment en silence, puis il
dit :

— Ne le jugez pas trop sévèrement, Roz. Tout
au moins pour le moment. J'ai soulevé la question
de la grange quand nous bavardions tout à l'heure.
J'ai pris le sujet de loin, innocemment, pour savoir
ce qu'il en était. J'ai dit, par exemple, que je me
demandais ce que deviendrait la troupe quand elle
serait sans local. Pensait-il qu'on pourrait trouver
un local où les spectacles pourraient se poursuivre ?
Sa réponse fut grotesque. « Pourquoi Ellen ne
louerait-elle pas la salle de cinéma de temps en
temps ? » Je suis sûr que la grange n'est pas une
idée de Jack.

— Alors, Tom aurait pris çà sous son bonnet ?

demanda Roz d'une voix sans intonation. Il a pensé que ce serait formidable d'annoncer à son père qu'il avait trouvé une solution acceptable pour la troupe et qu'ainsi, la campagne du « Post » pourrait continuer sans risques de protestations ?

— Ainsi, vous le tenez toujours pour un vilain monsieur ? Et toute la corporation des journalistes avec lui est dans le même sac ? Je crois que vous vous trompez, Rosalind. Et du reste, ils n'ont pas encore gagné ! Il faut que je vous annonce que j'ai changé ma position. Je rejoins votre parti, Rosalind !

**

Roz arriva en retard au théâtre ce jour-là et se fit gronder par Nigel. Une des filles préposées aux décors avait la grippe. Il avait compté sur Roz pour la remplacer.

Elle n'eut plus qu'à enfiler une blouse et à se mettre à l'ouvrage. Tandis qu'elle peignait tristement des branches mortes, Stanley vint à passer dans les coulisses.

Elle le connaissait peu mais l'admirait beaucoup, aussi pensa-t-elle que la petite conversation qu'il lui accordait serait le seul agrément de cette malencontreuse journée.

Les heures passèrent. La répétition se termina et le théâtre se vida. Roz continuait à peindre. Elle pensait à la journée écoulée, à la neige scintillante dans le jardin des Burrel, aux neuf coussins qu'elle avait comptés sous la nuque robuste du père de Tom, à l'infirmière au nez rouge que le journaliste

allait emmener au théâtre prochainement, au chien
bondissant joyeusement.

— Bonjour, Roz !

De saisissement, la jeune fille faillit renverser
son pot de peinture en se redressant. C'était Tom
Burrel, l'imperméable négligemment jeté sur l'épaule
et l'inévitable rouleau de journaux sous le bras. Il
avait cette allure du journaliste, qui semble à l'aise
et sûr de lui n'importe où.

Une mèche brune lui retombait sur l'œil, mais
ne masquait pas la malice du regard bleu.

— J'ai pensé faire un crochet par ici ; je pas-
sais dans le quartier. Vous avez été un peu brusque
avec moi au téléphone, l'autre jour...

Apparemment, cela l'avait amusé.

— Je crois vraiment qu'il serait utile que nous
reparlions de cette affaire de la grange. Et il avait
été convenu que je vous montrerais un peu la région.
Pourquoi ne m'avez-vous pas appelé ? Je suppose
qu'Ellen Warburton vous fait travailler comme une
brute ?

Roz se pencha sur son travail. Elle était entourée de toiles peintes ; des traînées de couleur macu-
laient ses joues et son menton. Dans sa blouse
tachée, elle avait l'air d'une jeune actrice dans un
rôle de clocharde.

Tom continuait à la regarder sans paraître
s'apercevoir de son silence maussade. Cependant
il était en train de se sentir très vieux devant cette
jeunesse.

— Pour quand prenons-nous rendez-vous ? demanda-t-il pourtant de sa voix calme. J'ai un tas

de choses à vous dire qui vous intéresseront, j'en suis sûr. Qu'en pensez-vous ?

Elle s'assit sur ses talons, mais toujours sans le regarder. A voix basse, elle répondit qu'elle n'aimerait pas çà du tout.

— Je n'ai pas envie de vous voir, ni de vous parler. Et surtout pas au sujet du théâtre ou plutôt de l'absence de théâtre. Et moins avec vous qu'avec tout autre. Allez-vous-en !

L'exclamation avait fusé comme une bombe. Quand Roz se décida à lever les yeux sur Tom, elle surprit le regard, d'abord manifestement surpris, puis incrédule et enfin sardonique du garçon. Cela la rendit encore plus furieuse.

— Partez, faites vos articles pour le « Post » sur les airs que chante votre père. C'est tout ce que vous êtes capable de faire !

Elle disparut comme une furie, jetant la brosse qui fit sur le décor d'énormes taches noires.

*
**

Nigel était dans le bureau quand Roz jaillit du couloir comme un diable de sa boîte. Il se sentait coupable de l'avoir mal reçue à son arrivée. Il savait que c'était parce qu'il était débordé. « *Comme il vous plaira* » allait de mal en pis. Pendant les premières répétitions, Andrina avait été le problème essentiel. Maintenant, c'était Orlando. L'acteur qui jouait ce rôle était un nouveau membre de la troupe, plein de l'importance de son mérite, assez mince cependant.

Nigel pensait qu'il jouait le rôle d'une façon

ridicule. Il savait qu'Ellen était de cet avis, mais elle était parfois trop indulgente pour les jeunes et il se demandait depuis plusieurs jours comment il pourrait lui en parler sans la froisser. Et puis, elle semblait fatiguée depuis quelque temps.

— Roz, j'ai été odieux, tout à l'heure, dit-il quand il la vit jaillir dans la pièce, échevelée, écarlate. Et vous avez barbouillé ces décors tout l'après-midi ! Enlevez vite cette blouse. Je vous offre un verre.

— Merci, mais je n'en ai pas envie.

— Encore fâchée, alors ? Je me jette à vos pieds, Roz. Voyez-vous, j'ai mes soucis, comme tout le monde. Chassons-les ensemble.

— D'accord.

Il n'était pas dans la nature de Roz de refuser la branche d'olivier. Elle se sentait malheureuse, frissonnante. Sa rencontre avec Tom l'avait littéralement rendue malade. Sa solide silhouette, dressée sur les planches, lui avait paru une véritable provocation. Comme s'il venait mettre le pied, déjà, sur un tas de ruines... Quelle autre raison l'aurait amené là si ce n'avait pas été pour étaler sa victoire certaine ?

— Faites-vous belle, Roz. Nous allons faire jaser ! recommanda Nigel. Commencez par vous laver la figure... Et, pendant qu'on nous croira en train de flirter, je vous raconterai des choses intéressantes.

Ils traversèrent la place du marché enneigée pour se réfugier dans leur bar habituel. Assis dans un coin, ils discutèrent de la vanité des acteurs, de la sagesse de Stanley Kettler..., et des chaussures de Nigel : une magnifique paire de souliers italiens !

La compagnie de Nigel, la chaleur du bar, agissaient sur Roz comme un baume.

— Vous ne devineriez jamais où j'ai déjeuné ? dit-elle.

Et elle lui parla de sa visite à Jack Burrel.

Nigel se montra captivé.

— Je parie que vous l'avez surpris. Il a l'habitude de réduire les gens en poussière. L'année dernière, je connaissais une de ses secrétaires. Une très gentille fille. Elle était fiancée à quelqu'un du journal et elle n'a jamais osé lui en parler. Et, savez-vous ce qui est arrivé ? Le matin même de son mariage, elle a tapé tout le courrier, sans avoir osé rien dire.

— Comment est la maison des Burrel ? Il paraît que c'est un véritable château.

— C'est très beau, oui. Mais je ne m'y suis pas plu.

— Ne soyez pas trop pessimiste, Roz, dit Nigel en lui tapotant la main. Et maintenant, avec mon habituel esprit de contradiction, je vais vous dire quelque chose qui va vous éprouver encore davantage. Nous devons déménager après les représentations de « Comme il vous plaira ».

— N'y a-t-il vraiment plus aucun espoir ?

— Nous y travaillons ! dit-il gaiement. Ellen dit qu'il y a peut-être une chance pour que nous y revenions un jour. Mais, pour l'instant, il faut partir. On nous a même fixé la date.

« Cet après-midi, j'ai été faire une petite visite à Stan Kettler dans son bureau. C'est là qu'on peut recueillir toutes les nouvelles importantes. Et j'y ai

en effet appris quelque chose... Ecoutez plutôt :
Ellen a eu une merveilleuse idée. Nous pourrions
aller nous installer dans une grange formidable,
près de Stonebridge, acheva-t-il d'un air triom-
phant.

« Ellen et Stanley sont allés la voir et Ellen est
réellement enthousiasmée. C'est très grand, cela
date de XIVᵉ siècle, avec assez de place pour qu'on
puisse la transformer en une petite salle de spectacle. Ellen pense qu'une représentation de « la
Mégère apprivoisée », dans un endroit pareil serait
quelque chose d'exceptionnel.

Il attendait des exclamations de joie de Roz et
parut fort déçu quand elle dit seulement, d'une
voix sèche :

— Mais... la grange n'est pas une idée d'Ellen !

— Comment diable l'aviez-vous deviné ? Vous
êtes bien trop maligne, par moments. J'avais gardé
ce renseignement pour la fin de mes révélations.

« Non, c'est une idée de Tom Burrel, comme
vous avez dû en entendre parler. C'est lui qui les
a amenés à la grange aujourd'hui.

La colère de Roz éclata.

— Je ne vois pas pourquoi ils ont l'air si
contents ! Tom Burrel a simplement sorti l'idée de
la grange pour nous faire quitter la Comédie sans
histoires. Pour nous empêcher de protester et
d'ameuter la population.

Nigel la regarda d'un air surpris.

— Vous vous êtes réellement mis ça dans la
tête, hein ? Mais, mon chou, vous avez tort. Tom
m'a dit lui-même qu'il était absolument, résolu-
ment, opposé à la destruction du théâtre.

— Oh ! Vraiment ? l'interrompit Roz, en colère. Il peut le dire, maintenant qu'il a gagné la partie. Cette offre de grange est une idée géniale. On nous déménage et nous devons des remerciements aux Burrel... Très adroit, vraiment !

— Roz ! Roz ! dit Nigel en se penchant au-dessus de leur petite table pour la prendre aux épaules. Calmez-vous ! Vous avez tout pris à l'envers. Tom a été un moment contre le théâtre, c'est exact, mais il a complètement changé d'avis dernièrement. Et vous ne devineriez jamais pourquoi ?

Roz se contenta de hausser les épaules.

— Et bien, je vous le dirai quand même, sourit Nigel : notre Tom vient de terminer une pièce. Une comédie. Là !

*
**

La neige qui avait isolé la ville et encapuchonné la contrée dans un calme très agréable finit par fondre. L'air devint plus tiède et les rues boueuses.

Une semaine s'était écoulée depuis la visite de Roz chez les Burrel. Elle était très prise au théâtre par la préparation de « *Comme il vous plaira* » et n'avait pas eu l'occasion de rencontrer Tom pour lui faire ses excuses.

En tout cas, c'était bien ce qu'il pouvait attendre d'elle. Elle se sentait troublée, mal à l'aise : à cause du théâtre déclinant, d'Ellen, plus pâle que d'habitude, et qu'on n'entendait plus rire. Elle avait même été absente — une terrible migraine — au moment d'une importante répétition.

Roz demanda à Nigel s'il en avait entendu
davantage au sujet de cette grange. Mais, lui dit-
il, les nouvelles changeaient chaque jour. Pour
l'instant, il n'en était plus question. Ellen passait
ses journées à essayer de trouver autre chose. Il n'y
avait plus que quelques semaines avant la date fatidique de la fermeture. Ce qui pesait surtout à Ellen,
la rendait malade d'inquiétude, était la dislocation
prochaine de leur petite compagnie, si elle ne trouvait pas où l'installer.

Avec leur directrice plongée dans les dernières
répétitions, Stanley penché sur les difficiles travaux
de comptabilité que chaque jour apportait, Nigel fut
un jour sollicité d'aider de son côté à trouver l'introuvable...

Curieusement, il n'était pas déprimé par la
dramatique situation. Elle semblait plutôt l'exalter.
On aurait dit qu'il était dans son élément, au milieu
des catastrophes.

Il avait un ami qui s'occupait d'immobilier et,
chaque matin, échangeait quelques coups de téléphone avec lui. Nigel s'arrangeait pour avoir les
clés des endroits qui pouvaient intéresser la compagnie et emmenait Roz visiter avec lui, à l'heure du
déjeuner.

Ils virent ainsi d'assez curieux locaux : des
hôtels désaffectés, un hall qui avait servi de réserve
pour la farine des moulins, construit en pisé et pratiquement en ruine. De quoi finir de nous couler !
avait dit Nigel, sans perdre sa bonne humeur.

*
**

Andrina n'avait pas pardonné à Roz la réflexion qu'elle avait faite au sujet du rôle de Rosalind. Cela lui avait cependant profité. Elle jouait le rôle avec beaucoup plus de simplicité, mais chaque fois qu'elle rencontrait la jeune assistante, elle se souvenait combien elle avait été vexée ce jour-là, devant Ellen.

Elle se trouvait du reste bien d'autres raisons ! Pour la lointaine erreur de la pauvre Roz le soir des gants. Pour son amitié avec Nigel. (Andrina était de ces femmes qui ne peuvent supporter qu'un homme s'intéresse à une autre femme qu'elles). Et, pour finir, elle pensait qu'Ellen avait un faible pour cette petite sotte.

Ainsi, Roz devait être considérée comme inexistante. Et si quelqu'un était ignoré par Andrina, ce malchanceux était dans la situation d'une petite barque rencontrant un gros iceberg : il disparaissait en haute mer sans laisser de traces...

L'actrice était assise sur le bureau de Nigel, montrant généreusement ses jambes en collants noirs, et ses plus grands faux cils, quand Roz y entra. Elle était penchée au-dessus de Nigel qui ne semblait pas trouver cela désagréable, tandis qu'ils étudiaient tous deux les épreuves des photos d'Andrina en Rosalind.

De temps à autre, l'actrice en marquait une d'une croix.

— Oh ! Je ne veux pas de celle-ci ! dit-elle après un regard dédaigneux vers Roz.

— Mais vous êtes parfaite dans celle-ci, avec le chapeau de paille.

— Vous ne me ferez jamais croire çà ! Mes cheveux sont mal arrangés, et regardez cette oreille, chéri !

Roz sortit sa liste et commença à travailler. Nigel l'appela :

— Chérie, pensez-vous que vous pourriez courir jusqu'au « Post », pour leur remettre cette photo. C'est une de celles que miss Grant a choisies. La référence est au dos.

Roz prit la photo, la glissa dans une enveloppe et attrapa son manteau. Elle devait passer devant Andrina qui, continuant à l'ignorer, regardait Nigel amoureusement.

— Je ne suis pas contente de vous, Nigel. Il y a des semaines que je vous ai demandé de me réserver un dîner. Je ne crois pas me rappeler que vous m'ayez invitée depuis longtemps...

Nigel répondit que rien ne pourrait lui faire plus de plaisir et lui demanda si elle connaissait le nouveau restaurant qui avait remplacé cette vieille boulangerie, dans l'allée du Parc ?

Roz quitta la pièce avec soulagement. Elle ne pouvait s'empêcher d'être peinée de la façon dont l'actrice la traitait. Nigel lui avait dit qu'elle devait apprendre à surmonter cette sorte de sentiment. « Essayez simplement de vous souvenir que tous les comédiens sont des enfants ! »

Et des enfants pénibles, parfois, pensait Roz, traversant les rues boueuses de Stonebridge. Quand elle arriva au journal, elle était aussi triste que cette grise journée.

La standardiste ne semblait pas non plus très souriante.

— Je n'ose pas quitter le téléphone, dit-elle. Il sonne sans arrêt, et je n'ai personne pour m'aider. La moitié du personnel a la grippe. Quelle malchance ! Vous seriez gentille si vous montiez vous-même votre enveloppe, si c'est urgent. Au premier étage. Le bureau de monsieur Speight est le deuxième à gauche.

Roz se rendit à l'étage de la rédaction, le cœur battant. C'était stupide, bien sûr ! Elle avait juste à déposer la photo et à repartir immédiatement. Qui la verrait ? Quant à Tom, il était sûrement sorti...

Au coin du premier couloir, c'est pourtant sur lui qu'elle tomba. Il avait l'inévitable rouleau de papiers sous son bras et semblait pressé. Mais quand il la vit, il s'arrêta net.

Ses yeux bleus dans un visage fatigué lui parurent sans expression.

— Puis-je faire quelque chose pour vous ? demanda-t-il d'une voix très officielle.

Elle était sûre qu'il avait envie de voir ses talons. Quelque chose dans son attitude rigide marquait très nettement que la place de Roz n'était pas ici. Elle dut lutter vivement contre une terrible envie de fuir.

— Je suis venue porter une photographie que monsieur Speight attend.

Tom prit l'enveloppe et l'ouvrit. Un moment, il regarda avec intérêt le ravissant visage d'Andrina.

— Très bien, dit-il sèchement. Je la remettrai.

C'était pour elle le moment de partir. Mais elle

était clouée au sol par le remords. Elle avait été avec lui injuste et brutale. Et, bien qu'elle sût avoir mérité sa froideur, elle en était malheureuse.

Inconsciemment, elle tordit une mèche de ses cheveux.

— Je pense que... que je devrais m'excuser.

— Pourquoi le feriez-vous ?

— J'ai été injuste avec vous. Et insolente. Au sujet de la grange. Je pensais que vous étiez contre nous.

— Peut-être le suis-je ?

Il n'acceptait pas ses excuses et son visage restait de marbre. Il la regardait avec ces yeux bleus qui lui paraissaient accusateurs. Peut-être était-il de ces gens qui ne savent pas pardonner ? pensa Roz. Un de plus...

— Je ne sais si vous êtes pour ou contre nous, dit-elle en soupirant. J'ai l'impression de ne plus rien savoir du tout, excepté que tout le monde est triste autour de moi, et que nous devons quitter la Comédie dans quelques semaines. Mais je vous ai, de toute façon, mal jugé. J'ai été épouvantable avec vous, et je le regrette. Je venais juste de rencontrer votre père quand vous êtes venu dans les coulisses.

— Emily m'a dit que vous aviez été à la grange pour un déjeuner. Je suppose que mon père était au mieux de sa forme ?

Il y avait un soupçon d'amusement sur son visage. Et, brusquement, il se mit à sourire.

Oh ! Ce sourire de Tom ! pensait Roz confusément. Elle avait brusquement l'impression qu'un coup de soleil était venu faire fondre le bloc de glace sur lequel elle était prisonnière depuis des jours.

— Vous pensiez que mon idée de vous voir utiliser la grange était une sorte de piège politique, n'est-ce pas ? Eh bien, cela aurait pu être vrai si mon père avait été derrière tout cela. Mais, en réalité, il n'en était rien. Prendriez-vous un peu de thé avec moi ?

Il lui prit le bras et la conduisit dans son bureau. C'était une pièce confortable et en désordre, pleine de paperasses jusqu'au plafond. Si Roz avait pensé que le bureau de Stanley Kettler était affreusement mal tenu, celui de Tom était bien pire ! Mais un tapis de Turquie recouvrait le sol et les fauteuils étaient confortables. Et les murs — ce qu'on pouvait en voir, du moins, — étaient ornés de photographies du « Post » à l'époque des voitures à chevaux.

Tom s'assit sur sa chaise tournante devant son bureau et attira un autre siège pour Roz. La pièce était fortement chauffée.

La jeune fille portait sa robe garnie de rouge et la lumière des lampes faisait briller ses cheveux comme un casque d'or. Mais Tom la trouva pâle.

— Ainsi, vous avez changé d'opinion sur moi ? demanda-t-il, tournant sa chaise de façon à lui faire face.

— Evidemment !

Il éclata soudain de rire

— Est-ce que vous changez si facilement et si vite d'opinion sur tous les sujets ? Vous savez, ici, c'est plutôt mal vu. Nous regardons, d'un mauvais œil les gens qui soufflent le chaud et le froid. C'est une région sévère et nous devons nous battre pour que tout marche comme il convient. Même les éléments sont contre nous. Le vent, la neige. Un horrible temps une bonne partie de l'année. C'est ce qui nous a rendus réalistes.

— En effet, vous l'êtes.

Le ton sérieux qu'elle avait employé le fit rire.

— Aussi, nous prenons le temps de la décision, mais quand elle est prise, cela doit marcher.

— Vous voulez dire que j'ai trop vite sauté aux conclusions ?

— Oui, c'est à peu près ce que je voulais dire.

— J'aurais dû comprendre que vous étiez honnête dans votre proposition. Vous vouliez réellement nous aider.

— Comment auriez-vous pu le savoir ? dit-il un peu machiavéliquement, quand les articles de tête du « Post ne parlent que de cette route ? Mais je ne prends pas la responsabilité des articles de mon père. Ni de son style, du reste !

— Vous vouliez être gentil et je ne l'ai pas cru. Je le regrette.

— Vous avez raison de le regretter dit-il en prenant sa main dans la sienne. Aussi, je peux vous le pardonner.

Roz était consciente que sa main portait encore des traces de peinture et qu'il n'y avait pas un brin de vernis sur ses ongles depuis qu'elle était était arrivée à Stonebridge.

Tom tenait encore cette main quand un garçon entra avec le thé. Il le remercia, le paya de la main gauche et, quand ils furent seuls de nouveau, retint encore les doigts de Roz bien serrés dans les siens.

— Pas grand-chose comme biscuits, dit-il négligemment.

— Je les trouve excellents.

— Cette exagération des gens du Sud ! remarqua-t-il très sérieusement.

Puis il se décida à lui rendre sa main pour lui permettre de servir le thé.

— Ainsi, vous avez rencontré mon père ? Vous a-t-il fait peur ?

— Non.

— Cependant, un tas de gens tremblent devant lui.

— Sans doute aime-t-il ça ?

Il sourit légèrement et continua à la regarder attentivement.

— Vous ne ressemblez plus à la petite jeune fille timide que j'ai rencontrée dernièrement. Pourquoi êtes-vous devenue si brave, tout à coup ?

— Sans doute m'effraiera-t-il plus tard. Donnez-moi un peu de temps...

— Est-ce une promesse ? J'aimerais être présent, si cela arrive. Ainsi, je pourrais venir à votre secours. Il y a une chose que vous remarquerez à notre sujet à nous, hommes du Nord : Nous sommes gentils avec les filles en détresse.

— Oh ! Chic !

Ils parlèrent de la Comédie, un moment, puis, brusquement, il lui demanda si elle avait lu sa pièce.

Roz avait chipé le texte sur le bureau de Nigel et avait passé une bonne partie de la nuit à le lire, afin de pouvoir le remettre en place dès le lendemain matin.

— Eh bien ? demanda Tom, avec un regard d'attente.

— Je l'ai lue.

— Alors, qu'en pensez-vous ?

C'était un sujet sur lequel il semblait bien plus désireux de discuter que les gens dont c'était le métier. La création au théâtre, se traite toujours avec précaution.

— Je l'ai trouvée magnifique !

— Ah ! J'en suis heureux.

— C'est plutôt une énigme, du reste.

— Hum ! C'est ce que m'a dit Ellen Warburton. Et un ou deux autres parmi ceux qui l'ont lue.

Il la regarda avec une attention accrue.

— Cependant la pièce se situe dans les temps anciens. Comment avez-vous trouvé la façon dont j'utilise la langue ?

— Bonne. Tout à fait en situation.

Roz se sentait bien, là, à parler de tout cela. Mais elle se rendait compte qu'il se faisait tard. Le soir était tombé. La rumeur du journal semblait s'amplifier avec la nuit. Des gens se pressaient dans les couloirs. De temps à autre, un garçon de courses apportait une liasse de papiers des épreuves qu'il déposait au coin du bureau déjà encombré. Tom avait besoin de s'occuper du journal, comme elle devait retourner au théâtre.

Cependant, elle s'attardait et le garçon en faisait autant. Aucun des deux ne se sentait capable de mettre fin à leur rencontre.

— J'aurais aimé vous entretenir des relations de la pièce en rapport avec son époque, dit-il, mais...

Il fut interrompu par l'entrée en trombe d'une autre liasse d'épreuves, presque jetée par le planton.

— Je dois partir, dit Roz.

— Oui, je pense qu'il le faut.

Il prit de nouveau sa main et la garda.

— Savez-vous, Roz, que vous êtes une fille très attirante ? Je dirais même, qui s'impose à l'attention. Cela peut être... dérangeant... Je n'ai pas du tout aimé quand vous avez été en colère contre moi.

Il secoua un peu la main qu'il tenait toujours.

— Cessez de considérer cet affreux vieux tapis qui devrait être jeté depuis longtemps. Le « Post » mériterait d'être remis à neuf. Je crois qu'on n'y a pas touché depuis le début du règne ! Pourquoi ne me regardez-vous pas, plutôt ? Regardez-moi, Roz,

Elle leva les yeux.

— Oui, Tom.

— Voilà qui est mieux. Ce « oui, Tom » me fait plaisir. Il faut me le répéter. Car j'ai envie de vous avoir à souper demain soir après la représentation de « Comme il vous plaira ». J'espère qu'ils ne vont pas vous obliger à assister à cette foire qu'ils nomment souper de première ?

— Exceptionnellement, il n'y en aura pas. Ellen a dit que personne n'en avait envie et Stanley a ajouté que ce serait une faute de goût dans les circonstances actuelles.

— Je reconnais bien là le style Kettler. Donc, vous dînez avec moi, demain soir. Je vous raccompagne, Roz.

— Inutile.

— Si. Au moins jusqu'au bout du couloir.

— N'en faites rien. Je sais combien vous êtes

occupé. Et, je vous assure, je saurai trouver mon chemin.

— Je n'ai jamais pensé que vous en seriez incapable. Je vous raccompagne tout de même. Au fait, j'ai un appartement en ville. Je ne vais à la grange que pour les week-ends. Mais ce n'est pas à mon appartement que je vous emmènerai. Cela ne saurait convenir au genre de fille que vous êtes, Roz.

Il lui sourit comme s'ils se connaissaient depuis toujours, puis il la conduisit jusqu'à une porte de service qui donnait dans une rue plus proche du théâtre. Dehors, il faisait froid et humide. C'est seulement lorsqu'elle fut arrivée en courant au théâtre que Roz se rendit compte à quel point elle était heureuse.

CHAPITRE VII

C'était la seconde fois qu'elle vivait une première à la Comédie, et cette fois, elle était prête à toute éventualité. Elle avait un double de chaque scène et une liste apprise par cœur de tous les accessoires destinés à chaque acteur, dans l'ordre. Elle avait appris aussi à préparer la scène, à chaque acte, rapidement et efficacement.

Sa table était dans un ordre parfait. Elle surveillait particulièrement les éléments du feu d'artifice qui serait magique dans la forêt d'Ardennes.

Elle était très animée quand elle arriva au théâtre, à la fois à cause de la première — c'était toujours un événement — et à cause du rendez-vous de Tom pour le même soir.

Elle avait emporté une robe longue dans un sac de façon à pouvoir se changer rapidement après la représentation.

Son oncle l'avait regardée drôlement quand elle lui avait annoncé qu'elle rentrerait tard.

— Vous vous lancez dans le camp ennemi, pour capturer le fils du seigneur ?

— Il n'est pas un ennemi, Arthur.

— Oh ! Même si c'était vrai, je vous crois bien capable de le faire changer de camp...

— Vous me prenez pour un fameux conspirateur. Je souhaiterais que ce fût vrai...

Elle n'avait pas parlé à Nigel de son rendez-vous à cause de ses inévitables taquineries : les gens de théâtre sont tellement à l'affût d'histoires de ce genre... S'ils tombaient amoureux, c'était à grand renfort de tirades shakespeariennes... S'ils étaient tristes, ils versaient des torrents de larmes. Chez tous, le secret des sentiments était une chose inconnue, presque choquante.

Roz se sentait agréablement coupable en gardant pour elle ses sentiments au sujet de Tom.

Quand son travail fut préparé pour la scène numéro un, elle s'installa dans les coulisses, tranquille comme une petite souris dans son trou. Elle pensait à Tom. Que lui avait-il dit au sujet des gens du Nord ? Ils étaient rigoristes. Ce mot était bien conforme à sa manière de rude franchise. Il ne fairait pas du charme facilement. Et cependant, quand son sourire étincelait, il était irrésistible.

— On y va ! lança Nigel en passant rapidement. Et ! Vous semblez de bonne humeur, Roz !

La musique qui marquait le début de la scène commença aussitôt. C'était la pavane, la danse dont on devait entendre les échos sur scène. Le rideau se leva. A cette époque d'électrification à outrance, on le tirait encore à la main, à la Comédie. Et le petit bonhomme qui en était chargé depuis des années portait des gants très épais pour ne pas s'arracher la peau à chaque manœuvre.

Comme toujours pour une première, le théâtre

était plein et le public semblait bon, chaleureux. Comme s'il voulait montrer à la troupe qu'il était avec elle de tout cœur.

Andrina joua son rôle avec bonheur. Orlando, que Nigel craignait, semblait avoir perdu sa pédanterie. Tout allait bien.

Roz, écoutant la pièce qu'elle connaissait par cœur, se gardait d'une seule seconde d'inattention. Elle était silencieuse mais en éveil, tendant à l'instant fatidique les arcs et les flèches, les paniers d'osier, un manteau de fourrure et gardant précieusement pour la fin de la pièce l'énorme gerbe de fleurs qu'elle devait mettre dans les bras d'Andrina.

Pour les autres soirs, on se servirait de fleurs artificielles mais, le jour de la première, Ellen. dans un de ses élans habituels, avait pensé qu'Andrina devait avoir des vraies fleurs.

Roz avait acheté des lilas, des tulipes et des iris bleus.

Quand, au moment de l'apothéose, l'actrice prit le bouquet des mains de Roz, elle n'eut ni un coup d'œil ni un simple merci. Elle enfouit sa tête dans les fleurs, puis presque trop vite, elle dit l'épilogue et le rideau tomba.

L'homme aux gants dut lever le rideau cinq fois, tandis qu'Andrina multipliait les révérences sous les applaudissements nourris de la salle debout.

L'enthousiasme finit par se calmer, la foule s'écoula lentement et Roz entendit le bruit de la bouteille de champagne que Nigel débouchait pour une modeste célébration.

Ellen paraissait soulagée. Roz ne s'attarda pas. Elle fila dans son bureau et ferma la porte à clé, pour pouvoir se changer en toute sécurité. Elle avait peu de vêtements mais cette robe longue, bien qu'unique dans sa garde-robe, était fort élégante. Le clou de son vestiaire ! Elle avait réussi à l'acheter d'occasion à l'actrice qui l'avait portée dans une pièce moderne.

C'était une toilette magnifique en organza bleu électrique, un ton qui seyait particulièrement à la jeune fille.

Roz glissa ses pieds dans les chaussures du même ton, rafla son châle et dégringola en courant l'escalier. Elle pensait bien que Tom l'attendrait là. Elle ne s'était pas trompée. Il bavardait avec Eddy et elle ne voyait que son dos. Mais, comme s'il avait deviné sa présence, dès qu'elle eut descendu les premières marches de pierre, il tourna la tête vers elle et sourit.

— Eh bien, franchement, vous avez fait vite ! Ils partirent ensemble dans la nuit noire.

— Vous frissonnez. Montez vite en voiture. Je vais mettre le chauffage à fond. Vous serez bientôt réchauffée.

Roz s'installa. Si quelqu'un lui avait dit de formuler un vœu, elle n'aurait rien eu à ajouter à ce qui se réalisait en cette minute même. Les échos de la pièce, encore dans ses oreilles, cette heure de la nuit, la chaude intimité de la voiture, elle-même dans sa robe élégante, et, surtout, la présence de Tom. Ils partaient pour tout une soirée à passer ensemble. Elle écouterait sa voix teintée d'accent du Nord, regarderait son visage franc, parfois ironique, commencerait à le connaître enfin, avec ou sans son extraordinaire sourire.

— Vous ne me demandez pas où je vous emmène ?

Elle murmura qu'elle savait que ce serait bien et que ça lui plairait.

— C'est très gentil à vous. Nous verrons ce que vous en direz quand nous serons à destination.

Pendant un moment, jetant de temps à autre un regard sur les rues désertes, elle pensa qu'il l'emmenait, malgré ce qu'il avait dit, à son appartement en ville, et se sentit mal à l'aise. Elle ne fut soulagée que lorsqu'ils se trouvèrent dans la campagne, les phares éclairant les arbres dépouillés, comme tout à l'heure, ceux de la forêt d'Ardennes...

— Vous n'avez pas encore deviné, Roz ?

— Non. Mais je ne connais pas grand-chose des environs de Stonebridge.

— Vous connaissez celui-là très bien. Je vous emmène à... la grange. Ah ! Voilà qui vous fait vous redresser !

— Mais... est-ce que votre père nous attend ?

— Mon père, si nous avons la moindre chance, sera endormi depuis longtemps quand nous arriverons. Emily lui donne son lait chaud et met au lit à dix heures ce bébé coléreux. Comme elle l'oblige à se coucher de bonne heure, il se réveille très tôt rien que pour la déranger.

— Non. Ce soir, vous n'aurez rien à faire avec le rédacteur en chef du « Post ».

— C'est peut-être dommage. J'aurais peut-être réussi à adoucir son cœur...

— Parce que vous portez une robe sensationnelle ?

— Pensez-vous que cela m'aurait aidée ?

— Sans aucun doute. Mais papa sera en train de ronfler et nous aurons un souper tranquille.

» Maggie Linnet m'a promis de me laisser quelque chose. Vous l'avez rencontrée ? C'est un amour !

— Je parie qu'elle vous connaît depuis votre naissance et vous a toujours gâté dès cet instant.

— Eh bien ! c'est assez vrai. C'est une cousine éloignée de mon père. Et on a toujours beaucoup d'indulgence pour ceux qu'on a connu enfants.

Quand Tom tourna dans le chemin de la grange, Roz trouva curieux de voir la maison débarrassée de son capuchon de neige et les pelouses, de leur édredon blanc.

Tout était obscur, à part une faible lumière filtrant de l'imposte du hall. Leurs pas rapides semblaient bruyants sur le gravier crissant. La maison les accueillit comme un manteau de chaleur douillette posé sur les épaules nues de Roz. Il faisait bon !

Le labrador vint en frétillant se faire caresser par Tom.

Roz fut entraînée d'une poigne ferme vers une immense pièce sobrement meublée qu'elle n'avait pas vue lors de sa première visite à la grange. C'était le salon, qui occupait toute la longueur de la façade et dominait la terrasse.

Une pièce somptueuse, aux murs clairs qui faisaient ressortir les tableaux nombreux accrochés de tous côtés. Discrètement éclairées par des rampes lumineuses astucieusement aménagées, les toiles devaient être des œuvres de valeur. Mais il faisait

terriblement froid dans cette pénombre un peu
mystérieuse.

Tom ferma rapidement les doubles-rideaux, allu-
ma le feu électrique dans la cheminée et toutes les
lampes. La pièce perdit de son mystère et gagna en
gaieté.

— Voilà ! Vous allez pouvoir vous réchauffer.
Il semble que je ne sois pas capable de dire autre
chose ce soir, dit Tom en riant après avoir installé
Roz tout contre le feu. C'est que père n'occupe
pratiquement jamais cette pièce. Et je pense qu'on
doit s'en rendre compte au premier coup d'œil.

Il alla tâter le radiateur du chauffage central et
revint après avoir tourné la manette.

— Ceci est un exemple de l'économie domes-
tique de Maggie. Puisque la pièce est inemployée,
pourquoi dépenser du combustible sans raison ?
Asseyez-vous sur le tapis devant le feu. Je reviens.

— Je ne peux pas vous aider ?

— Je tiens à veiller sur mon invitée. Vous, restez tranquille.

Il posa un disque sur le phono et la laissa. Suivant les ordres, elle s'installa sur la fourrure épaisse
qui servait de tapis de foyer, et examina la pièce.

Fort riche et agréablement meublé, ce salon,
mais comme en attente, endormi par quelque fée.
Ou même... mort. Les coussins sur le sofa étaient
rangés comme des soldats en ordre de bataille, et on
ne pouvait imaginer quelqu'un les froissant ou les
dérangeant. Les différents objets d'argenterie, cen-
driers, coupes, boîtes, brillaient comme la cafetière qu'Andrina utilisait dans « *Intimité* ». La
seule preuve que quelqu'un s'intéressait à cette pièce

pour autre chose qu'un nettoyage consciencieux et une remise en ordre exigeante des coussins, c'était une coupe où pointaient de minces tiges vertes : futures jacinthes quand viendrait le printemps.

Cela excepté, que cette pièce semblait inhospitalière ! pensait Roz. On ne pouvait imaginer entre ces murs froids des soirées amicales ou familiales, un arbre de Noël haut dressé, des rires, des farandoles, ou des adolescents vautrés sur les tapis, en train de dire des bêtises...

La porte s'ouvrit et Tom entra portant un plateau.

— J'espère, Roz, que vous avez très faim. Maggy nous a préparé un festin. Avez-vous assez chaud ? Il me semble vous avoir encore vue frissonner.

— Une ombre sur ma tombe, dit-elle en riant.

Il ouvrit une bouteille et murmura avec un geste circulaire :

— Horrible, n'est-ce pas ?

— Un peu impressionnant quand on y est seul.

— Mais c'est toute la question, Roz ! Les pièces qui méritent leur nom ne doivent jamais donner cette impression. Tenez ! Prenez mon bureau ! Entrez-y au milieu de la nuit : vous ne le prendrez jamais par surprise. Il est toujours prêt à vous accueillir ! Passez-y des heures au petit matin, avant que les femmes de ménage arrivent : vous y êtes bien. Vous voyez ce que je veux dire ?

— Je crois, oui.

— J'en suis sûr. Eh bien, comme vous le voyez, cette énormité est tout le contraire. En deuil. Ou

en transes... dans je ne sais quelle attente..., acheva-
t-il après un dernier tour d'horizon.

Pourtant, leur repas fut très gai. Ils mirent des
disques assez bas pour ne pas réveiller Jack Burrel,
puis filèrent à la cuisine se préparer du café.

Comme ils regagnaient le salon avec leur tasse,
Roz se demanda brusquement : illusion ou réalité ?
La pièce lui semblait plus accueillante. Le disque
tournait, le feu flamboyait et les restes éparpillés
de leur souper mettaient un désordre enfin vivant.
Ils s'assirent par terre, le dos appuyé contre les
fauteuils bas, près de la cheminée.

— Parlez-moi de vous, dit Roz. Cela m'ennuie
que vous soyez encore une sorte d'étranger. Racon-
tez.

— Cela dépend de ce que vous voulez savoir.

— Comme vous êtes prudent ! dit-elle, avec
un soupir. Les gens de théâtre ne sont jamais ainsi.
Nous n'attendons même pas qu'on nous pose des
questions. Je veux dire..., nous aimons nous confier.
Dites-moi quelque chose qui ne vous semble pas
compliqué. Par exemple, pourquoi êtes-vous devenu
journaliste ?

— Et vous trouvez que c'est une question
facile ? Un vrai labyrinthe...

— Vous adorez compliquer les choses, non ?
Je veux une réponse simple.

— Eh bien ! parce que je désirais la même vie
que mon père.

— Quelle sorte de vie est-ce, Tom ?

— Je dirais que c'est une vie indépendante.
Pas d'heures fixes. Pas de règles que vous ne vous
êtes pas créées vous-même. Savez-vous quelle est

la qualité essentielle d'un journaliste ? Beaucoup de
curiosité indisciplinée.

Roz sourit.

— Mais, pourquoi la curiosité doit-elle être
indisciplinée ? Je pensais que tous ceux qui écrivent
devaient avoir une discipline qui leur est propre et
leur permet de travailler aux moments où ils doivent le faire ? Je pensais qu'il en était de même
pour les journalistes. Vous êtes des chasseurs de
nouvelles et quand vous les avez apprises, vous
devez les faire connaître avec la plus grande hon-
nêteté possible. Cela demande de la discipline, non ?
Et je le comprends. Parce que nous avons énor-
mément de discipline au théâtre. Vous savez, nous
sommes le contraire des joyeux bohémiens qu'on
imagine.

— Je pense que vous n'avez pas très bien
compris ce que j'ai voulu dire. Le journaliste doit
être un curieux qui ne prend pas un non pour une
réponse, qui ne peut se laisser enrégimenter. Il doit
être comme un diable qui sort de sa boîte. Fermez
le couvercle, puis ouvrez-le. Il ressort encore, aussi
brusquement. Un journaliste, c'est quelqu'un qui
veut savoir les choses avant n'importe qui d'autre. Ensuite, il doit pouvoir les analyser. En connaître les tenants et les aboutissants. Le journaliste doit également savoir écouter. Même les ragots.

— Mais, Tom ?

— Quoi donc ? demanda le garçon, d'une voix
presque caressante.

Il s'était penché en arrière, la tête appuyée à un
fauteuil.

— Mais, Tom, croyez-vous pouvoir être juge

de ces histoires que vous recueillez, de leurs « pourquoi » et de leurs « comment » ?

— Oh ! Non ! Nous ne jugeons pas !

— Mais quand vous en parlez, vous devez les juger, en quelque sorte.

— Disons que nous sommes des observateurs ayant une opinion...

— Ah ! s'exclama Roz, triomphalement, vous admettez ainsi que vous n'êtes pas impartiaux.

— Bah ! Qui est impartial ?

— Mais, votre père et vous dites que le journal...

— Le journal... le journal..., répéta Tom. Le journal ne peut être impartial parce qu'il est écrit par des hommes. Et les hommes ne le sont pas. Comment pourraient-ils l'être ?

Roz se mit à rire.

— Je n'en sais rien. Je suis au bout de mes connaissances...

Il lui sourit et il y eut un petit silence. Tom regarda autour de lui comme il l'avait fait au début de la soirée.

— Il était temps qu'on rie de nouveau dans cette pièce, déclara-t-il.

— Cela doit bien arriver de temps en temps ?

— Nous l'utilisons rarement. Maggie en fait reluire les meubles jusqu'à pouvoir s'y mirer. Ici, ce sont ses semis. Elle les arrose avec une régularité d'horloge. Mais mon père n'y vient que très occasionnellement. Par exemple pour offrir un sherry à votre oncle et à quelques autres membres du Conseil. Cette pièce est une coquille vide. Elle est ainsi depuis la mort de ma mère.

— Quel âge aviez-vous, alors ?

— Roz, est-ce que je vous donne l'impression d'un enfant qui a été élevé sans mère ?

— Non, mais c'est la première fois que vous prononcez son nom.

— Cette pièce m'a ramenée en arrière. Elle peignait. Le paysage là-bas est d'elle, ainsi que la petite peinture à droite de la cheminée. Elle avait commencé à collectionner les toiles modernes, et elle avait un certain flair. Elle adorait aller à la découverte. Tous les artistes de la région la connaissaient et l'aimaient. Elle était si chaleureuse, si enthousiaste ! Elle adorait cette pièce. Elle la tenait toujours fleurie. En belle saison, avec des fleurs du jardin, en hiver, avec des branches ou des baies. Elle jouait beaucoup du piano quand j'étais enfant. Elle avait toujours tout une bande d'amis chaque samedi. Elle aimait qu'on l'aime...

— Que lui est-il arrivé, Tom ?

— Tuée dans un accident d'auto dû au brouillard. Papa était avec elle dans la voiture mais il a été éjecté. Il ne s'est jamais pardonné de lui avoir survécu.

— C'est terrible !

— Il n'était pas responsable. Ce virage était un véritable piège quand le brouillard était si épais. Vous savez maintenant pourquoi cette pièce a été désertée acheva Tom d'une tout autre voix.

— Je regrette infiniment... Je veux dire pour votre père. Je ne...

Il eut un sourire qui remontait les coins de ses yeux.

— Vous êtes une curieuse fille, Roz. J'ai dit

que mon père ne se pardonnerait jamais la mort de
ma mère et c'est vrai. Je sais qu'il la pleure encore.
Mais n'imaginez pas que cette tragédie a changé
sa nature, Roz. Il était déjà autocrate de son vivant
— Bien qu'elle fût la seule personne qui pût le
faire fléchir — Et il est un vieux despote, maintenant. Plus qu'avant, c'est évident, mais simplement
parce qu'il a vingt ans de plus... Aussi vous pouvez
cesser de regretter de l'avoir mal jugé... comme
vous l'avez fait pour moi... C'était, ajouta-t-il rêveusement la nuit des confidences. Maintenant, c'était
à elle de lui parler d'elle. Etait-elle née comme on
l'avait raconté, dans une corbeille à accessoires ?

— C'est très possible. Ma mère était danseuse
et mon père, acteur. Ils sont morts tous deux. Ma
mère quand j'étais petite. Elle était très belle, m'ont
dit ceux qui l'ont connue, gracieuse et légère comme
une plume. Papa n'est mort qu'il y a trois ans. Il
était merveilleux. Drôle et intelligent, plein de
talent et de bonté. Il m'emmenait toujours avec lui,
n'importe où qu'il fût envoyé. Savez-vous que j'ai
fréquenté quatorze écoles ? Et bien davantage encore
de maisons, appartements, caravanes, parfois !
C'était une vie épatante ! Je l'aimais !

— Et comment avez-vous atterri dans la régie ?

— Oh ! Papa m'a aidée au début, avec des
recommandations aux uns et aux autres. J'ai déjà
eu des emplois intéressants, se hâta-t-elle d'assurer,
inquiète qu'il pût la prendre pour un amateur.
Mais jusqu'ici, je n'avais pas de poste permanent.
J'ai beaucoup circulé. Maintenant, en tout cas jusqu'à ces derniers jours, j'appartenais réellement à
un théâtre. Cela me paraissait bon.

La pendule sur la cheminée sonna deux heures.

— Déjà ? s'exclama Tom. Avec ce fameux travail permanent, je ferais mieux de vous reconduire sans plus tarder...

— Personne de la troupe ne sera couché avant quatre heures, sûrement. Un soir de première...

— Vous êtes des gens résistants, vous tous ! dit-il d'une voix paresseuse.

Mais il était en train de penser qu'elle était fort pâle, et semblait épuisée ainsi, presque couchée devant le feu. Le ton de la robe était ravissant, mais accentuait une pâleur presque diaphane.

— Non. Je dois vous raccompagner, dit-il brusquement, comme en lutte avec lui-même.

Il se redressa, puis se pencha sur elle et prit la tête pâlie entre ses mains, pour l'embrasser tendrement.

Elle ferma les yeux et mit ses deux bras autour de son cou. La nuit était silencieuse. Roz ne pensait à rien qu'à la douceur de ce je ne sais quoi qui s'éveillait en elle, curieusement.

Quand elle ouvrit les yeux, il la regardait, le visage sérieux. Il caressa doucement ses cheveux brillants.

— Chérie...

— C'est bon...

— Je ne... non, je ne crois pas, dit-il fermement en la remettant sur ses pieds.

**

Il y avait de la brume quand Roz arriva au théâtre le lendemain matin. Elle ne s'était pas cou-

chée avant trois heures, avait dormi à peine cinq
heures et se sentait malgré cela dispose et légère.
Joyeuse. Elle regardait la ville avec des yeux qui
embellissaient tout ce qu'elle voyait. Le sombre
Hôtel de Ville, la tour grise de l'église, le marché
éclairant de ses taches de couleurs la matinée d'hiver... Tom appartenait à cet univers. Tom...

Il l'avait accompagnée cette nuit et, devant sa
porte, Roz avait reçu un baiser passionné. Ils
n'avaient pas pris d'autre rendez-vous, mais elle
savait qu'ils se reverraient bientôt.

Elle le verrait, lui parlerait, serait serrée dans ses
bras, embrassée... Cela elle le savait. Bientôt.

Quand elle se souvenait de leur conversation de
la nuit, elle se sentait coupable de n'avoir même pas
mentionné la grange. Mais Tom devait en avoir
discuté avec Ellen et on n'avait pas besoin d'elle
pour prendre une décision. Roz pourrait lui en tou-
cher deux mots au téléphone. Pas tout de suite
évidemment, mais d'ici deux ou trois jours.

Elle préférait en parler à Tom qu'à Nigel.
Quoique... Non. Si elle était honnête, elle devait
s'avouer qu'elle désirait surtout entendre le son de
sa voix... Allons ! Pas trop de faiblesse ! Elle attendrait deux ou trois jours.

A l'heure du déjeuner, quand elle passa devant
le journal, son cœur battit très fort...

Nigel s'était fort bien rendu compte de l'ex-
quise humeur de Roz depuis la première de « *Comme il vous plaira* ». Mais, pour une fois, il ne la
commenta pas. Il ne savait du reste pas exactement
pourquoi.

La pièce avait du succès, et remplissait suffisamment la salle, même du point de vue de Stanley, qui s'inquiétait pourtant toujours de l'état des finances de la compagnie.

Maintenant que la Comédie allait devoir libérer les lieux rapidement, Nigel demanda à Roz de faire un grand nettoyage de l'énorme placard regorgeant de vieux manuscrits.

— Ne me blâmez pas trop pour ce sale travail, Roz. C'était déjà ainsi quand je suis arrivé. Depuis que j'ai pris le service en main j'ai toujours renvoyé les manuscrits que nous ne pouvions retenir, en y ajoutant les raisons de notre refus, et même parfois, quelques suggestions. C'est Ellen la coupable, pas moi. Tout ce qui ne porte pas une adresse lisible devra être brûlé.

— Pauvres auteurs !... Ils en attendent peut-être encore le retour...

— Alors, pourquoi ne sont-ils pas venus les reprendre ?

Roz avait de la peine à l'idée de brûler les rêves des malheureux qui avaient mis tant d'eux-mêmes dans ces feuillets. Quand elle pouvait déchiffrer une adresse, même incomplète, elle renvoyait le manuscrit, la conscience plus légère, avec une lettre d'excuses qu'elle faisait signer à Nigel.

— Ils sont sans doute morts depuis des années, espèce de folle sentimentale ! grognait-il alors, avec un sourire attendri.

Roz était ainsi occupée, un après-midi, nageant dans les papiers jaunis, quand Nigel entra en trombe dans le bureau. Il fut reçu avec un sourire. Roz avait décidé que, ce soir, elle téléphonerait à Tom. Cette décision l'avait mise de bonne humeur.

— Voilà pour l'abeille laborieuse, dit-il en lui tendant un petit paquet. Des gâteaux au miel. Vous me faites un peu de thé ?

— Oh ! Merci, Nigel ! Oui. Tout de suite, le thé.

Il resta un moment assis au bord du bureau de la jeune fille, dégustant son thé à petites gorgées. Elle lui souriait amicalement. Ses cheveux étaient retenus par un bandeau blanc et elle portait son pull-over préféré, avec un sept imprimé sur le devant.

J'espère que ce chiffre lui portera bonheur, pensait Nigel, mal à l'aise.

Il s'étonnait et s'inquiétait presque de se sentir si concerné par ce qui pouvait arriver à Roz, d'avoir tant envie qu'elle soit heureuse.

Nigel n'avait jamais manqué de filles autour de lui et beaucoup avaient été amoureuses de lui. Il avait dû se défendre parfois contre celles qui auraient bien voulu qu'il leur passe la bague au doigt. Mais Roz était la seule pour qui il se fît parfois du souci.

— Roz, dit-il, si je vous dis quelque chose que vous découvrirez sans doute vous-même plus tard, vous ne m'en voudrez pas ? Vous n'allez pas sauter au plafond ?

— Vous me faites peur, Nigel ! S'agit-il du théâtre. Et est-ce vraiment si inquiétant ?

— Rien au sujet de théâtre, ne vous alarmez pas, petite. C'est au sujet d'Andrina, au fait.

— C'est tout ? s'exclama Roz avec soulagement. Je suis habituée à son comportement. Il m'est totalement indifférent.

— Il ne s'agit pas de sa campagne « anti-Roz »,
chérie. Je me demandais simplement si vous aviez
remarqué qu'elle avait fait une nouvelle conquête.

— Ah ? Et qui est-ce ? demanda Roz en englou-
tissant le dernier gâteau au miel.

— Je crains que cela ne vous plaise pas, Roz,
dit Nigel gentiment. Je les ai vus déjeuner ensemble
aujourd'hui. Et ils étaient encore ensemble cet
après-midi. Il s'agit de votre ami, Tom Burrel.

CHAPITRE VIII

Arthur avait l'habitude de quitter le Dene chaque matin, ponctuellement pour son bureau à huit heures et demie. Souvent Roz était alors à sa fenêtre, brossant ses cheveux, et le regardait descendre le chemin de son pas calme et régulier.

Quand elle descendit ce matin-là, son oncle était encore à table, en train de lire le journal tranquillement.

— Bonjour, Rosalind. Je prends ma voiture pour aller au bureau aujourd'hui. Voulez-vous que je vous dépose au théâtre, en passant ?

— Merci, Arthur.

Elle se versa du café et s'assit tenant la tasse chaude à deux mains, mais sans boire. Il lui tendit l'assiette de toasts mais elle n'avait pas faim.

Retournant à son journal, il observa sa nièce. Elle lui parut déprimée. Mais n'ayant jamais eu d'enfants, il se sentait bien incapable d'aider à régler les problèmes d'une jeune personne de vingt-deux ans.

Depuis la mort de sa femme, il vivait l'existence sans histoire d'un célibataire d'âge moyen.

Et, soudain, la maison s'était éveillée à l'arrivée de
Roz. Elle était venue pour quelques jours. Il l'avait
invitée à rester autant que cela lui plairait. Et on en
était là.

Ils s'étaient organisé une vie assez indépendante, mais sans indifférence. Et avant même de
réaliser ce qui lui arrivait, Arthur s'était rendu
compte que sa nièce n'était jamais loin de ses pensées. Comment aurait-il pu en être autrement avec
une présence, un jour gaie, un jour triste, parfois
si bavarde, et d'autres jours tellement silencieuse ?
Si pleine d'espoirs, ou si découragée !

Arthur désirait sincèrement que sa nièce fût
heureuse, mais ce simple souhait semblait être difficile à réaliser... La liberté des jeunes, pensait-il
souvent, les rendait très vulnérables. Ils ne per-
mettaient à personne de les protéger.

Ce matin, Roz semblait lugubre. Elle mangeait
et ne disait rien. Il replia son journal.

— Tiens ! J'ai vu Jack Burrel hier. Il avait pu
quitter son lit. Mais nous avons eu du mal, Emily
et moi, à lui faire faire trois ou quatre fois le tour
de sa chambre. Il n'a pas cessé de grogner !

— Pauvre Emily ! dit Roz, poliment.

— Je l'ai défendue contre les plus méchantes
attaques, dit Arthur en tendant le journal à Roz.
Plus tard, son humeur s'est améliorée. Il finissait
de préparer l'éditorial du « Post » au sujet de la
route circulaire. L'idée directrice étant celle-ci : le
plus tôt sera le mieux. Du reste, lisez. Le voilà.
Après tout, c'est important pour vous.

— Ce serait trop déprimant !

— Il ne faut jamais faire l'autruche, mon enfant. Lisez, pendant que je sors la voiture.

Quand il quitta la pièce, Roz éprouva un soulagement qu'elle se reprochait. Elle avait bien pensé qu'il pourrait faire une remarque sur son manque d'appétit, sa mauvaise mine, mais... Non. Dernièrement, leurs relations avaient changé. Il semblait bien plus indifférent.

« Après tout, qu'est-ce que cela peut faire ! Je n'ai besoin de personne pour m'entourer et livrer mes batailles. Je dois les gagner ou les perdre moi-même.

Elle savait que personne ne pourrait l'aider à se battre contre l'ennemi le plus difficile à vaincre, ses propres sentiments, ses stupides sentiments.

Quand Nigel l'avait mise en garde au sujet d'Andrina et de Tom, elle avait eu du mal à ne pas pleurer devant lui. Mais, même à ce moment, elle avait trouvé quelques bonnes raisons pour lesquelles Tom s'était lié avec l'actrice. Elle n'en avait pas parlé à Nigel parce qu'elle avait vu qu'il avait de la peine pour elle. Il aurait pu penser qu'elle ne désirait pas regarder les choses en face...

Malheureusement, c'était devenu vrai. Pendant quelque temps, Roz avait pu trouver à la situation quelques innocentes excuses. Tom avait besoin de parler à Andrina au sujet du théâtre. Ils se connaissaient depuis longtemps. Il lui téléphonerait bientôt, à elle, Roz, ils se reverraient et ce serait le retour de leur nouvelle amitié.

Roz y avait cru jusqu'à la nuit dernière. Pourtant, elle avait noté un changement chez Andrina. A sa sensibilité exacerbée, l'actrice avait paru plus jolie, plus sûre d'elle, plus éclatante. Comme si elle avait pour cela de profondes raisons.

Roz avait achevé son travail, pressée d'aller prendre son autobus, et tout en courant, avait accordé à la façade du théâtre son regard habituel, quotidien : un au revoir amical.

Ce simple coup d'œil lui avait permis de reconnaître la voiture de sport noire de Tom devant l'entrée des artistes, et lui-même, qui entrait.

Tom ! Elle ne l'avait pas revu depuis cette soirée, et, maintenant, il allait voir Andrina.

Il n'était plus temps de se raconter des histoires, mais bien de regarder la vérité en face. Tom et Andrina formaient un couple. Ce qui n'avait jamais été le cas de Roz.

Le petit coup d'avertisseur d'Arthur l'arracha à ses pensées. Elle le rejoignit en courant. Il commençait à pleuvoir. Son oncle lui ouvrit la portière.

— C'est agréable de partir en voiture, dit-elle gentiment, faisant un très gros effort.

— Je préfère une nièce sèche, dit-il en riant.

Il conduisit un moment en silence, puis demanda d'un ton très banal :

— Beaucoup de travail au théâtre ?

— Nous nettoyons. Je renvoie les vieux manuscrits.

— Ainsi, cela n'aurait pas beaucoup d'importance si vous manquiez une heure ou deux ?

— Mais... j'y serai dans cinq minutes, dit-elle, surprise.

— Non, je ne crois pas. Vous et moi allons faire une petite visite à Jack Burrel.

Elle rougit, puis pâlit.

— Cela n'a pas beaucoup d'importance pour votre travail, n'est-ce pas ? Je ne vous en ai pas parlé au déjeuner parce que vous m'aviez l'air assez mal en point. Ma secrétaire est exactement ainsi quand elle s'est couchée tard. Jack m'a demandé avec insistance de passer chez lui et j'ai pensé que cela pourrait vous intéresser.

— Je ne pense pas, Arthur. Monsieur Burrel n'est pas la sorte d'homme qui m'intéresse.

— Cependant, vous vous en êtes si bien sortie l'autre jour ! Je vous assure que cette visite sera très intéressante. Sans une bonne raison, je ne vous y entraînerais pas. Cependant, je ne voudrais pas que vous vous fassiez du souci pour votre travail. Voulez-vous téléphoner quand nous serons à la grange ?

— Oh ! Non. Ce ne sera pas la peine.

Elle n'ajouta rien et Arthur ne lui demanda pas d'autres détails. Il n'essayait jamais de s'immiscer dans les affaires des autres. Il était juste là au moment où on pourrait avoir besoin de lui.

La pluie continuait à tomber régulièrement tandis qu'ils longeaient la lande. L'herbe morte était une mer de sable. Des pans de brume flottaient dans les lointains.

Arthur engagea la voiture dans le chemin de la grange. Près du portail où Tom l'avait serrée si fort dans ses bras, Roz vit que les forsythias étaient en bourgeons. Quelques-uns étaient même en fleurs.

Madame Linnet ouvrit la porte et sourit au bonjour d'Arthur. Elle avait le visage un peu trop poudré et ressemblait davantage à un pierrot qu'à un oiseau, aujourd'hui.

— Il est debout ! dit-elle fièrement. Magnifique, n'est-ce pas ?

— Excellent ! Vous devez vous sentir soulagée.

— J'ai eu ma première bonne nuit depuis un mois, dit-elle fièrement.

Elle les escorta jusqu'à l'étage, et Roz regarda un moment tristement la porte fermée derrière laquelle les jacinthes devaient avoir grandi.

Dans la chambre de Jack Burrel, toutes les lampes étaient allumées en plein jour. Le feu flambait gaiement. Le rhume de l'infirmière allait nettement mieux. Occupée à préparer un médicament, elle sourit à Roz.

Le maître de maison en costume de tweed, chemise rayée et cravate rayée, lisait près de la cheminée.

— Enfin ! Vous voilà ! dit-il comme ils entraient dans la pièce.

Son accueil à son vieux camarade semblait toujours indiquer qu'Arthur était en retard et avait été anxieusement attendu.

— Vous avez amené la jeune dame avec vous. Bonjour, ma chère.

Roz eut droit à un sourire féroce.

Maintenant qu'il n'était plus vêtu d'un pyjama, mais habillé de pied en cap — même une épingle de cravate — Roz voyait en lui non seulement l'homme mais le rédacteur en chef du « Post ». Il ressemblait davantage à Tom. Son fils avait ses larges épaules et son petit nez droit, la même fossette au menton.

Les yeux de Jack étaient bleus. Ils ne brillaient plus et leur couleur était un peu fanée. Mais ils avaient dû être exactement du même bleu, autrefois.

Madame Linnet s'était attardée dans l'embrasure de la porte. Elle remarqua gaiement :

— Nous nous sentons beaucoup mieux aujourd'hui, n'est-ce pas ?

— *Nous* nous sentirons très mal tant qu'on ne cessera pas de *nous* dire des bêtises, Maggie ! explosa Jack Burrel. Ne vous faites pas plus sotte que vous n'êtes et filez nous préparer du café.

Madame Linnet s'enfuit sans paraître le moins du monde troublée.

« Il ne mérite pas cette excellente femme, pensa Roz. Je me demande comment elle ne l'a pas encore lâché ! Ou peut-être est on immunisé après un certain temps ! »

L'infirmière vint présenter quelques pilules, ce qui donna l'occasion au « patient » de faire des embarras. Il réclama une cuillerée de confiture pour faire passer « ce goût détestable ! » Il ne semblait pas que l'infirmière fût aussi immunisée que Mme Linnet. Quand elle tendit la confiture à son malade, ses mains tremblaient légèrement.

Lorsqu'elle eut quitté la pièce, Jack continua à faire des grimaces et à grommeler des menaces contre son médecin.

Quand la représentation eut fini de l'amuser, il regarda Arthur d'un air malin et demanda :

— Avez-vous lu l'éditorial, aujourd'hui ?

— Nous l'avons lu tous les deux, oui, dit Arthur.

— Pas mal, hein ? Je ne suis pas encore hors du jeu ! Mais nous ne sommes pas là pour discuter de mes articles. Nous allons plutôt parler d'une idée que j'ai eue. Arthur vous en a-t-il touché un mot ? demanda-t-il à Roz en lui lançant un regard aigu.

— Non. Je n'ai rien dit. Je vous ai laissé lui faire la surprise. J'ai pensé que vous préféreriez cela.

Arthur qui s'était assis près de son ami, croisa confortablement ses jambes.

— Très juste. Mademoiselle Matthiews, je vais vous dire une chose. J'aime votre tournure d'esprit. J'ai aimé la façon dont vous avez défendu le « Burlesque » l'autre jour. Je respecte la loyauté. Je l'apprécie chez mon personnel et chez mes amis. Aussi ai-je retroussé mes manches, jeune dame. J'ai trouvé un local pour toute la troupe, maintenant qu'il vous faut quitter le vieux « Burlesque ». Qu'en dites-vous ? Un choc, hein ?

Il la regardait avec un faux air de père Noël, en se frottant les mains. Bien qu'il n'eût encore donné aucune explication, il attendait les félicitations et les remerciements, l'enthousiasme.

Mais, quand elle eut commencé à le remercier, il ne l'écouta plus.

— Bien, bien, l'interrompit-il aussitôt. Arthur va vous mener il-sait-où.

Un énorme clin d'œil à son camarade prolongea le suspense de la phrase.

— Et il me dira ensuite ce que vous en pensez, jeune dame !

« Vraiment, j'aimerais qu'il cesse de m'appeler

ainsi, pensait Roz en suivant son oncle. On aurait
pu croire, à l'entendre qu'être jeune était stupide et
être dame, imbécile. »

— Arthur, dépêchez-vous de revenir avant
qu'Ellen ait eu le temps d'arriver. Vous connaissez son bla, bla, bla...

— Et vous savez où nous allons, naturellement ? dit Arthur, quand ils furent en train de descendre l'escalier à la rampe blanche et or. L'idée
de Tom est devenue la sienne. Il se l'est appropriée.
Cela lui est venu, paraît-il, tout à coup... Une ins-
piration du Ciel sans doute ! Le rôle de mécène lui
paraît agréablement nouveau. Il a si souvent joué
les méchants... Et il s'est toqué de vous, l'autre
jour.

— C'est épatant !

— Oui, je pense que ça peut l'être. Et la
grange est une bonne idée, vous savez ! dit Arthur
comme si Roz n'était pas convaincue. Allons la
voir. Vous vous rendrez compte.

Arthur avait-il oublié qu'elle l'avait déjà vue ?
Non. Elle se souvint brusquement qu'elle ne lui
en avait pas parlé. Elle s'était refusée à évoquer ce
temps où Tom et elle étaient amis.

Abrités sous deux énormes parapluies ils allè-
rent vers la grange. La porte grinça comme elle
l'avait fait quand Tom l'avait ouverte.

Roz fit un gros effort pour chasser Tom de son
esprit. Elle devait penser au théâtre. Elle regarda
les hauts murs de plâtre, sentit l'odeur de foin
qu'elle n'avait pas oubliée.

— Vous savez, Rosalind, les troupes itiné-
rantes d'autrefois jouaient dans des lieux de ce

genre. Est-ce que cela ne vous semble pas ajouter
une autre dimension à ce qu'on pourrait présenter
ici ?

— Je l'espère. C'est assez grand. Mais je ne
suis pas qualifiée pour parler des installations tech-
niques. L'éclairage, par exemple.

— Jack a un groupe électrogène qui pourrait
illuminer la ville d'Edimbourg tout entière. Et les
techniciens peuvent faire des miracles, si le cœur
y est !

Ils revinrent à la maison sous la pluie. La voiture d'Ellen était garée près de celle d'Arthur quand
ils arrivèrent. Et avant d'avoir atteint le premier
étage, ils entendirent sa voix pleine de vitalité dis-
courir comme si elle s'adressait à la troupe tout
entière.

Ils échangèrent un coup d'œil, et Arthur murmura :

— Jack n'aime pas que quelqu'un d'autre que
lui occupe le devant de la scène.

— Mais... il l'a invitée à venir.

— Cela ne signifie pas qu'il ait envie de
l'écouter. Quand il invite les gens, c'est pour qu'ils
viennent l'écouter. Maintenant, je dois retourner au
bureau. Je vous laisse.

Dans la chambre, Ellen marchait de long en
large, les mains dans les poches. Elle étincelait
positivement d'énergie joyeuse.

— C'est notre première bonne nouvelle depuis
des mois ! entendit Roz en ouvrant la porte.

Quand Arthur, qui la suivait pour faire ses
adieux, s'avança à son tour, Ellen insista pour

l'embrasser. Le pauvre Arthur parut très gêné, et se dépêcha de s'enfuir.

Quand il les eut quittés, Ellen recommença à marcher de long en large, parlant avec volubilité. Pour la première fois depuis que Roz le connaissait, Jack était silencieux, les sourcils froncés.

— Nous avons besoin d'une vaste campagne de presse pour faire accepter cette idée aux gens. Insister sur la proximité de la Grange promue au rang de théâtre !

— On fera ce qu'il faudra, grogna Jack.

Mais Ellen repartit sur les points de vente, la régularité des transports, sans se rendre compte que Jack s'impatientait. Un léger grognement le trahit. Mais Ellen continuait :

— J'espère que votre journal nous soutiendra, dit-elle avec son plus charmant sourire. Après tout, c'est votre idée, non ?

— Je ne peut pas obliger le journal..., grogna Jack.

— Evidemment ! renchérit Ellen. C'est ce qui fait votre valeur ! Nous savons tous...

Il y eut un nouveau grognement, plus appuyé. Cette fois, Ellen demanda :

— Qu'y a-t-il, Jack ? Vous n'êtes pas bien ?

— Ma jambe me fait très mal. Cette idiote d'infirmière m'a fait trop marcher ce matin. Cinq fois le tour de ma chambre. Et, cela, bien que je me sois évanoui..., ajouta-t-il en regardant Roz avec un air de défi. Je pense que je vais aller me coucher. Je suis épuisé. J'en ai trop fait !

Il regardait vers Roz pour une réplique pleine

d'émotion. Elle ne put s'y résoudre. C'est Ellen qui
entonna les louanges du bienfaiteur.

— Soignez-vous, très cher. Nous avons *besoin*
de vous ! acheva Ellen avec toute son emphase
théâtrale.

Jack fit un signe de tête qui remerciait du vœu,
et Ellen quitta la pièce. Roz s'attarda un instant.

— Alors, jeune dame ?

— La Grange est une idée étonnante dit-elle
simplement.

Il la considéra un moment, de ses yeux fanés
au regard aigu.

— Vous voulez dire que mon idée est bonne ?
corrigea-t-il.

Ellen avait pour principe de donner les nouvelles à la troupe sans tarder, quelles qu'elles fussent.
Avant la représentation du soir, elle réunit tout le
monde sur le plateau, et annonça l'événement. Les
acteurs qui auraient des répétitions importantes tra-
vailleraient à la Comédie, tant que cela serait possible, mais tous les autres seraient requis pour la
Grange.

Nigel, debout dans un angle auprès de Roz, lui
murmura :

— Il fallait du cran pour annoncer çà...

— Mais ils doivent être si soulagés ! répliqua-
t-elle.

— Essayez de grandir, petite fille ! grogna-t-il.
Vous avez déjà vu des acteurs heureux, faciles
maniables ?

Roz avait toujours pensé qu'elle travaillait beaucoup depuis qu'elle était à Stonebridge, aussi bien pour la préparation des programmes que lorsqu'ils étaient en cours. Mais elle dut reconnaître qu'elle s'était trompée. Elle avait réellement ignoré ce qu'était travailler durement jusqu'à ce que commence l'installation de la Grange.

Elle quittait la ville avec Nigel dès sept heures du matin, sans avoir eu le temps de prendre une tasse de thé. — Nigel emportait une bouteille thermos — et ne rentrait jamais avant minuit. Ellen avait cependant insisté pour que ses dimanches soient libres. Roz les passait à dormir.

Les jours qui suivirent le moment où ils prirent possession de la Grange furent extraordinaires. Le travail devint l'unique réalité. Personne n'aurait osé parler d'autre chose. Il y eut les arrivées dans le petit matin blême, le lavage des murs, les coups de marteau, le transport d'innombrables colis.

Les électriciens travaillaient sur une sorte de plate-forme en bois, les charpentiers, au-dessous d'eux, construisaient la scène.

Et ces voyages sans fin de la Grange à la ville ! Dans la petite voiture de Nigel, ou le vieux breack poussiéreux de Stanley, à moins que ce ne fût dans la voiture bleue d'Ellen — les rares jours où on pouvait l'utiliser — ou, pire, dans le car asthmatique qui faisait un aller et retour toutes les trois heures seulement !

Dans ses imaginations les plus déchaînées, jamais Roz n'aurait pu concevoir que la calme promenade faite un matin avec Tom aurait eu sa conclusion dans ce tohu-bohu.

Les acteurs jouaient encore à la Comédie, et quand on leur parlait des progrès des travaux, marquaient un silence inquiétant. Mais le personnel était formidable. Ils travaillaient tout le jour, au milieu de toutes les embûches possibles, fils électriques, planches traîtresses, etc. Et jusqu'au milieu de la nuit.

Roz aimait ces gens courageux, assidus. Elle aimait leur parler, leur accent du Nord ; et les quelques mots archaïques qui l'émaillaient parfois.

— Je croyais que le vocabulaire ancien avait totalement disparu, même dans ces régions, dit-elle un jour à Nigel, comme ils passaient ensemble à la chaux les murs de la Grange.

— Pas si Ellen peut l'éviter. Elle a pris plusieurs enregistrements de différentes conversations. Elle utilise tout ce qui peut servir dans notre travail. C'est pourquoi nous allons interpréter « *la Mégère apprivoisée* » pour notre ouverture ici.

— Qu'est-ce que vous voulez dire, Nigel ? C'est un projet qui avait été rejeté.

— On le reprend. Et puis, elle a décidé de jouer également la... enfin la pièce du miracle.

— Celle de Tom Burrel ?

— Oui. Je ne vous l'avais pas dit ? Ellen pense qu'elle est parfaite pour la Grange. Simple et médiévale et avec l'amour de la contrée.

— Qu'en pense Tom ?

— Ravi, mais le cachant. C'est un de ces hommes qui laissent le moins paraître ce qu'ils ressentent.

Nigel continua à appliquer la chaux. La Grange était chauffée avec quelques radiateurs électriques soufflants. Cela sentait la peinture, la propreté, mais l'odeur du foin était encore, malgré cela, perceptible. évocatrice.

— Comment va la romance d'Andrina ? demanda Roz d'une voix banale.

— Je n'ai pas jeté un coup d'œil sur cette peste depuis quelques jours, dit Nigel. Elle est très occupée avec son prochain rôle. Je l'ai appris de Stanley. Je dois confesser que moins je la vois, mieux je me porte.

Nigel avait l'impression que Roz souffrait de la conduite de Tom Burrel, bien que son joli visage ne laissât paraître que la concentration sur son travail de badigeonnage.

Il aurait souhaité que la pensée de Roz malheureuse ne le dérangeât pas autant qu'il était obligé de se l'avouer.

— Tom a téléphoné hier pour dire qu'il ferait un tour ici dès que cela lui serait possible, dit-il. Il a envie de savoir si cela prend forme.

— Quand vient-il ?

— Eh bien ! je crois qu'il est ici, dit Nigel qui n'avait eu pour but que de prévenir Roz.

En effet, Tom était là, le manteau jeté sur une épaule, regardant autour de lui de ses yeux bleus, observateurs, intéressés. Quand il aperçut Roz et Nigel, il vint à eux.

— Qu'en pensez-vous ?

— Pas trop mal, non ? dit Nigel d'une voix de propriétaire. Surtout si l'on considère que nous ne sommes sur place que depuis quelques jours.

Les deux hommes se mirent à parler des travaux.

« Comme ils sont différents ! » se disait Roz, se demandant si elle devait continuer sa peinture. La silhouette de Tom, lourde, solide donnait envie de s'y appuyer. Près de lui, grand et mince, Nigel semblait manquer de présence. Etait-ce le style trop bien coiffé, les vêtements trop élégants, même pour faire les travaux les plus sales ? Ou, simplement ce visage trop ouvert, joyeux comme celui d'un boy-scout, avec des yeux malicieux ?

Les deux hommes faisaient penser à Roz au tête-à-tête d'un ours et d'un cheval.

Tom leva le nez vers la jeune fille.

— Je ne pensais pas que le badigeonnage fût le lot des assistantes de régie.

— En effet, je ne l'ai pas trouvé dans mon contrat, même en petits caractères.

— Je dirais, expliqua Tom, que Stanley a été pris de court pour une fois...

Nigel fut appelé à ce moment et Roz se trouva seule avec Tom. C'était désagréable. Elle ne l'avait pas revu. sauf de loin, et ne lui avait pas parlé depuis ce soir exceptionnel, où elle avait cru au miracle. Elle ne pouvait s'empêcher de penser que cela avait été important pour tous deux. Mais maintenant, ce temps était passé. Tom ne semblait pas le moins du monde gêné, près d'elle. Il était, au contraire, fort naturel.

— Comment trouvez-vous votre nouveau home ? demanda-t-il. L'aimez-vous ?

— Beaucoup. Nous sommes très reconnaissants.

— A mon père, voulez-vous dire ? Je ne vois du reste pas pourquoi. La Grange était inutilisée, n'est-ce pas ? Et père demande un loyer exorbitant.

— C'était cependant aimable à lui, dit Roz avec entêtement. Elle aurait souhaité pouvoir revenir à son travail. Elle aurait souhaité, surtout, ne pas avoir envie d'être là, si près de lui. Le sentir si proche était douloureux. Il lui fallait prendre beaucoup sur elle pour maintenir la conversation sur ce ton de banalité.

— Je dirais que c'est à moi que vous devriez être reconnaissante, dit-il d'un ton taquin.

— Vous voulez dire parce que c'est vous qui...

— Quelque chose dans ce genre, oui. Nous en parlerons plus tard. Avez-vous fait vos adieux à la vieille Comédie ?

— Oh ! Non, pas encore, dit-elle trop vivement.

— Si vous devez organiser une cérémonie pour ces adieux, il serait sans doute utile d'y penser dès maintenant. Ellen devrait préparer un speech sensationnel, évoquant les principales productions du théâtre pendant toutes ces années. Puis le rideau tomberait et... les bulldozers arriveraient...

— Ce n'est pas drôle du tout !

— Je n'avais pas l'intention de l'être. Quand une ville contemple la destruction de sa propre histoire, il *devrait* y avoir une cérémonie. Si nous avions embouché la trompette chaque fois que la chose s'est produite dans le passé, peut-être la foule empêcherait-elle ce qui va se produire maintenant...

« Cependant ajouta-t-il plus doucement en constatant l'altération des traits de Roz, cela, c'était hier. Me ferez-vous faire le tour des travaux ? J'aimerais beaucoup.

Comment aurait-elle pu refuser ? Il passa l'heure

suivante à bavarder avec tous les travailleurs, et, bien qu'elle eût réussi par deux fois à s'éloigner, il parvint, chaque fois à la rejoindre.

— Je suis impressionné, enthousiasmé ! répétait-il.

Il posait quantité de questions et écoutait les réponses avec une attention passionnée. Roz se souvenait de sa phrase sur la « curiosité indisciplinée »...

Pendant la courte interruption du lunch, chacun s'asseyait comme il pouvait, pour un repas de pain et fromage. Mais, ce jour-là, Tom et Ellen quittèrent la Grange ensemble.

— Ils vont déjeuner, dit Nigel. Chablis dans des verres de cristal et faisan froid, expliqua-t-il en ouvrant un paquet de chips.

— Jaloux ? s'enquit Roz.

— Naturellement ! Mais la Grange lui appartient et il est l'auteur de notre pièce-miracle. Alors, je suis bien obligé de dire : « Dieu le bénisse ! » Mais j'ai un meilleur sujet de rancune. Ces chips sont ignobles ! Où les avez-vous dénichées ? Je dirais volontiers que ces pommes de terre ont été frites à peu près à l'époque de la pièce de Tom Burrel, au XIVe siècle.

Nigel eut à se rendre à Stonebridge au cours de l'après-midi et Roz continua seule son badigeonnage. Elle se demandait si Tom reviendrait, et n'arrivait pas à décider si elle le désirait ou non. Quand il se manifesta et qu'elle le vit solidement planté près d'elle, elle se sentit intimidée, gênée.

— Je suis tout juste revenu pour vous dire que je m'en vais. Cette matinée a été agréable pour moi.

Je serai à la Comédie ce soir, pour la première lecture. Y serez-vous, Roz ?

Sa voix était amicale, presque chaleureuse. Il était là, avec son manteau sur l'épaule, la regardant avec... comme le commencement d'un sourire sur les lèvres. C'était bon de le sentir si près d'elle. Mais pourtant, il avait changé... Et elle...

— Bien sûr. J'ai besoin d'être là. Des notes à prendre.

— Vous m'accompagnez ? Et ne me dites pas que vous avez un panneau à finir. Vous l'avez déjà badigeonné deux fois !

Ils sortirent de la Grange.

— J'ai déjeuné avec Ellen et mon père, tout à l'heure, dit Tom avec un regard aux fenêtres de l'étage, comme s'il s'attendait à y voir paraître une figure renfrognée. Il va mieux, mais il ne veut pas l'avouer.

— J'aurais pensé qu'il lui tardait de retourner au « Post ».

— Pour qu'il puisse me déboulonner, vous voulez dire ?

— Pour être de nouveau le patron.

— Mais il l'est ! Il ne sera jamais autre chose ! Il a passé l'heure du lunch à houspiller la pauvre Emily. Je me demande comment la pauvre fille peut le supporter ! Je lui ai conseillé de téléphoner à son organisation et de demander une remplaçante. Elle ne m'a même pas répondu... Au fond, je crois qu'elle a un petit faible pour lui, même s'il la fait trembler.

— Vous croyez ?

L'indifférence du ton était destinée à faire comprendre à Tom qu'il devait la laisser maintenant. Elle était sûre qu'il l'avait compris. Son regard le disait, un peu moqueur.

Comme son père, il devait aimer obliger les gens à rester quand ils avaient envie de partir. C'était une pauvre plaisanterie ! pensait-elle.

— Quand il eut laissé Emily un peu tranquille, continuait Tom tranquillement, il nous a lu son éditorial pour demain. Mon père est un éditeur qui écrit. Car il y en a, en gros, deux sortes, vous savez ! Ceux qui écrivent et ceux qui s'en abstiennent autant qu'ils le peuvent. Pour ma part, je préfère le second, celui qui ne pense pas constamment à donner ses propres vues dans son journal. Père pense que les rédacteurs en chef doivent avoir toute l'autorité. Je ne suis pas d'accord. Ils doivent donner à réfléchir aux gens et ne pas les matraquer.

« J'ai connu quelques-uns des hommes qui ont une influence nationale sur une grande échelle, par cette méthode. A notre niveau, c'est ce que je voudrais obtenir. Par exemple, pour la Grange.

— J'en suis ravie.

— Je pense bien ! Et je me demande pourquoi je vous tiens un si long discours. L'ennui, c'est que vous savez écouter, Roz. C'est un don dangereux que vous avez là. Mais ne restez pas à frissonner. Courez jusqu'à la Grange aussi vite que vous pourrez. Cela remettra peut-être quelque couleur à vos joues. Vous semblez en avoir besoin.

Il reprit son manteau qu'il avait posé sur les épaules de Roz et monta dans sa voiture.

— Je vous verrai ce soir, cria-t-il encore en

baissant la vitre. Puis, il ferma les yeux un instant. Roz se demanda pourquoi.

*
**

Nigel et Roz quittèrent la Grange tôt ce soir-là. Ils avaient bien travaillé.

— Cela montre bien, déclara Nigel, que si, littéralement, vous ne faites rien d'autre que ce qui vous est demandé, vous pouvez réussir des miracles. Maintenant, je comprends celui des pyramides... Surtout qu'il me semble en avoir construit une moi-même, ajouta-t-il avec une grimace douloureuse.

— Arthur emploie une certaine pommade quand il a mal au cou.

— Ah, oui ? Et je parie que ça sent mauvais à un kilomètre ? Comme ce qu'on utilise pour les chevaux. Merci bien !

— Un peu puissant, admit Roz, mais pas désagréable.

— Avez-vous juré de détruire mes amours dans leur fleur ? Que croyez-vous que pensera la douce Emily si je sens le cheval ?

— Nigel, vous ne courez pas après Emily ?

— Peut-être... Je l'ai trouvée languissante, dans la cuisine des Burrel, hier, ravissante dans son uniforme blanc. Maggie m'y avait offert une tasse de café, et, là, se trouvait la pauvre fille à demi noyée dans ses larmes. Monsieur Burrel l'avait encore tarabustée. Comme vous le savez, je ne supporte pas les larmes. Je l'ai emmenée à la discothèque locale. Elle a été très vite rassérénée.

— Jack Burrel serait furieux s'il le savait !

— Nous serons prudents. Il y a une descente sur le chemin. Je l'y attendrai, moteur coupé. Et, elle, a déjà graissé la porte de la cuisine. Ce sont des petites choses de ce genre qui donnent un peu de piquant à l'existence !

C'était assez mélancolique de se garer encore une fois sur la place du Marché où les vendeurs soldaient leurs derniers légumes avant la fermeture. Eddy de la porte de son antre, les accueillit joyeusement, comme s'il ne les avait pas vus depuis des siècles. Mais, comme les passages et les couloirs de la Comédie semblaient étroits après les grands espaces de la Grange !

— Vous ne pourrez aller dans votre propre bureau, les prévint-il. Il y a tout un tas de paquets amoncelés là.

— Allons dans celui d'Ellen. Je crois qu'il est encore en ordre, suggéra Nigel.

Ils montèrent l'escalier ensemble. Le retour dans l'ancienne atmosphère aux odeurs inchangées semblait effacer les réalités de la Grange. Ils entrèrent dans la pièce magnifique qui avait été le bureau d'Ellen pendant plus de quinze ans, et Roz, debout devant la fenêtre, s'attarda sur le panorama du marché et, par-delà les toits, sur la tour lointaine de l'église.

Une émotion l'étreignait. L'appel du vieux bâtiment encore debout, élégant, maniéré, lui semblait pathétique. Comme s'il leur reprochait de l'avoir déjà déserté...

— Venez, Roz ! Ce n'est pas l'heure de rêvasser. Je reconnais ce regard langoureux. J'ai besoin que vous soyez en possession de vos cinq sens, tout de suite.

La pièce de Tom nécessitait trente acteurs, c'est-à-dire la troupe entière. Roz revit des visages familiers, ceux surtout des vieux comédiens qui lui rappelaient son père. Mais aucun signe de l'auteur.

Ellen parut sur la scène pour leur souhaiter le bonsoir, et la bienvenue pour la première lecture de « *l'Héritage* ».

Elle savait, leur dit-elle, que tandis que toute la troupe travaillait sans relâche à leur future installation à la Grange, les acteurs avaient fait du bon travail pour les prochaines répétitions, qui auraient lieu là-bas.

Maintenant, continua-t-elle, elle désirait leur parler de la pièce elle-même. Comme tous le savaient, Tom Burrel en était l'auteur. Et le thème était particulier à leur région.

— Il nous montre des gens simples qui vivaient ici, à Stonebridge, six cents ans auparavant. Ils étaient près de la nature, pas le moins du monde sophistiqués, mais pleins de savoir. Et drôles, également. Vrais ! Tom Burrel connaît la façon de vivre de ces gens-là comme nous connaissons chacun notre nom. Ils étaient maçons ou charpentiers, laboureurs, fermiers ; ils avaient des instruments rudimentaires mais savaient parfaitement les utiliser. Ils travaillaient lentement, parce qu'ils aimaient le travail bien fait. Egalement parce qu'ils avaient toute la vie devant eux. Et pourtant, conclut Ellen, ils vivaient bien moins longtemps que nous. Quelle ironie !...

Tandis qu'elle parlait, son visage reflétait toutes

ses pensées, ses impressions. Elle avait son public
dans le creux de la main. Tout le monde écoutait.
Roz s'était assise un peu à l'écart et, comme elle
jetait un coup d'œil circulaire, elle aperçut Andrina.

Il semblait à Roz que la scène avait rapetissé
depuis qu'on n'y jouait plus. De la même façon,
Andrina ne lui parut pas aussi belle que son imagination l'avait créée. Elle portait une jupe longue,
et une blouse brodée qui était trop jeune pour elle.
L'effet un peu ridicule était accentué par le ruban
de la même couleur qui retenait ses cheveux. Elle
n'était pas maquillée, et écoutait Ellen comme si
rien au monde ne pouvait lui parvenir que le son
de la voix de sa directrice. Roz ne pouvait qu'ap-
prouver une telle concentration.

Il y eut un bruit de pas sur la scène et Tom vint
s'asseoir au bout d'une rangée de fauteuils.

Andrina était moins captivée que ne l'avait
pensé Roz. Dès que Tom parut, elle détourna ses
yeux magnifiques vers lui. Lentement, elle déplaça
sa jupe longue, et découvrit ainsi un siège vide
près d'elle. Elle eut une moue légère, comme si elle
envoyait un baiser. Tom avança doucement et prit
place auprès d'elle. Son regard n'avait pas cherché
celui de Roz. Elle en eut le cœur serré.

CHAPITRE IX

Enfin, il fallut abandonner le vieux théâtre. Les acteurs vidèrent leurs placards, déplacèrent les télégrammes et les pots de fleurs, les flacons de maquillage et les manuscrits aux coins roulés, les photographies et les robes de chambre.

Les hommes et les femmes travaillant sur le marché levèrent les yeux quand la Comédie ferma ses persiennes. « C'était comme regarder un vieil ami dans son cercueil », dit quelqu'un.

— Ce sera bientôt notre tour, entendit-on murmurer.

Roz n'était pas présente. Il y avait eu trop à faire à la Grange, qui, ainsi que toutes les scènes du monde avant une première, comptait ses insuffisances et ses lacunes. Les fenêtres laissaient passer de terribles courants d'air. L'électricité vacillait. Les parquets trop fraîchement sciés craquaient. L'endroit était humide. En quelques jours, les vêtements moisissaient dans les armoires.

Si Ellen Warburton, John Cragge, le calme Stanley et le léger Nigel s'inquiétaient, qu'allait-il se passer quand les acteurs arriveraient ? songeait Roz, alarmée.

Cette pensée était certainement dans l'esprit de tous, quand les derniers coups de marteaux eurent fini de retentir.

Ellen avait beaucoup insisté pour qu'aucun des acteurs n'eût accès à la Grange avant la réelle installation. Ils devaient laisser finir d'abord les travaux. Après, avait-elle expliqué, vous pourrez critiquer et nous tiendrons compte de vos avis.

Ils avaient tous promis, taquinant Ellen pour « son » secret. Mais Nigel avait dit à Roz que, *naturellement* la plupart d'entre eux étaient venus en cachette.

— Comme si on pouvait espérer d'eux une chose pareille ! avait-il conclu en haussant les épaules.

Mais il n'avait pas voulu lui dévoiler ce qu'ils en avaient pensé.

Il faisait un froid très vif, dans une atmosphère bleutée de brume, quand les acteurs s'installèrent, pour la première répétition. Roz était dans un coin de la scène, aidant une des accessoiristes à coudre des lambeaux de toisons de moutons sur des vestes. La laine les faisait éternuer. Nigel, aussi élégant que d'habitude et portant le « Livre », vint les rejoindre.

— Attachez vos ceintures, ordonna-t-il malicieusement. Sinon vous allez être emportés par les courants d'air.

Les acteurs arrivèrent en grappes, bavardant aimablement, mais les regards étaient aiguisés. Roz les observa tandis qu'ils allaient féliciter Ellen.

Comment savoir ce qu'ils pensaient ? Leurs visages, modelés pour prendre toutes les expressions, ne livraient rien. Un peu trop composés, peut-être... Mais qui sait ? Et si cela leur plaisait ?

Elle reprit sa couture, pensant à tout le travail accompli en si peu de temps... Les acteurs pourraient-ils jamais s'en rendre compte ?

Elle attendit, très animée, le commencement de la répétition. Elle avait lu l'« *Héritage* » de nombreuses fois. La pièce la fascinait.

Mais quand la répétition commença, elle eut l'impression de ne pas quitter terre. Les mots avaient perdu leur force. Ils étaient plats et sans vie. Elle espérait que la chaleur viendrait quand les acteurs possèderaient mieux leur texte, et se surprit à murmurer : « Allez-y ! Donnez un peu de vie à tous ces cadavres ! »

Mais la répétition ne s'animait pas et Roz commença à comprendre que c'était sans doute l'effet que faisait ce nouveau théâtre sur les acteurs. C'étaient leurs sentiments profonds qu'ils extériorisaient ainsi. C'était grave !

Andrina n'était pas en vue, et après le lunch une de ses scènes devait être répétée.

Nigel, levant son nez au-dessus du « Livre » appela :

— Miss Grant, en scène, s'il vous plaît.

Les deux acteurs qui devaient jouer cet acte avec elle s'arrêtèrent et parurent contrariés. Au théâtre, il n'y a pas d'excuse pour arriver en retard et interrompre le travail des autres. Le comique de la troupe cria à Nigel :

— Si vous voulez des nouvelles d'Andrina,

téléphonez chez son coiffeur ! Elle passe son temps sous le séchoir.

— Je l'ai déjà fait ! dit Nigel.

— Elle est à la Grange avec Tom Burrel, déclara Stanley en arrivant de l'extérieur.

Il portait un pull-over très épais et ressemblait à un gros ours en peluche.

— Faites-y un saut et ramenez-la, Roz. Vous serez un amour !

— Prenez un manteau. Il gèle ! cria l'accessoiriste. Tenez ! attrapez çà ! dit-elle en lui tendant le manteau qu'elle avait sur les genoux. Attention à l'aiguille !

Roz partit de la Grange chaude aux odeurs de peinture fraîche pour aller respirer l'air glacé, vêtue du manteau safran garni de fourrure que la jeune ouvrière lui avait tendu gentiment.

Elle détestait aller ainsi à la recherche d'Andrina. Elle ne désirait qu'une chose : être aussi loin d'elle que possible !

Madame Linnet lui ouvrit la porte avec un sourire.

— C'est gentil à vous, miss Matthews. On ne vous voit plus jamais. Même pas pour une petite tasse de thé !

Roz la remercia sincèrement. Elle était touchée de l'accueil. Madame Linnet avait-elle vu Andrina ?

— Vous nous cherchez ? dit la voix aux sonorités de cloche de l'actrice, du haut de l'escalier.

Roz leva les yeux. Andrina, tout contre Tom... Apparemment, ils venaient de la chambre du malade. Ils regardaient l'arrivante avec des expres-

sions bien différentes : Tom, avec une admiration
amusée pour la silhouette en jaune vif, aux cheveux dorés, Andrina la toisant des pieds à la tête
avec une surprise très étudiée. Ils descendirent.

— On vous demande, miss Grant. C'est votre
scène.

— Quelle scène ? J'en ai tellement ! N'est-ce
pas, Tommy ?

— Le baptême, Acte II, annonça Roz d'une
voix brève.

Andrina longea élégamment le hall, accordant
à Mme Linnet le charmant sourire que son admiration méritait.

Aujourd'hui, l'actrice portait une jupe brune
et un corsage ajusté qui convenaient à son altière
beauté. Elle atteignit la porte d'un pas bien rythmé,
et s'exclama théâtralement :

— Je dois me presser, n'est-ce pas ?

Ajoutant, avec une trace de dépit devant le
vêtement que Roz avait endossé à la hâte :

— N'est-ce pas le manteau de Justin ? Il ne
serait pas très satisfait s'il était sali et usé avant
qu'il n'ait eu le temps de l'utiliser...

Puis, elle regarda Tom par-dessus son épaule
et lui fit signe de la suivre.

Madame Linnet aurait bien voulu s'attarder
mais elle leva les yeux craintivement vers l'étage
comme si elle entendait Jack, réclamer son goûter.
Elle se précipita hors du hall.

Tom dit, à peu près dans les mêmes termes que
Mme Linnet :

— Vous ne venez jamais jusqu'ici. Pourquoi ?

Il y avait pas mal de réponses possibles. Roz

pouvait déjà faire remarquer que personne ne
l'avait invitée. Et que celle qui l'avait été se nommait Andrina. Ou parler de son travail. Mention-
ner aussi qu'elle n'était pas en très bons termes
avec son père... Elle préféra se taire.

Comme pour contredire la dernière réflexion qui
n'avait pourtant pas été exprimée, Tom dit :

— Père demandait justement de vos nouvelles
quand nous sommes allés, Andrina et moi, lui faire
une visite. Il a questionné Andrina sur « la jeune
dame ». Elle n'a eu aucune idée de la personne dont
il parlait. Elle a réagi plutôt froidement quand elle
a su qu'il s'agissait de vous. Particulièrement quand
il vous a décrite » jolie comme une belle peinture... »

Tom semblait trouver cela très drôle. Roz répondit à la réflexion par un sourire poli. Pourquoi son père s'obstinait-il à parler d'elle ou à
lui adresser la parole du ton que l'on prend pour
apprivoiser un jeune enfant ?

Elle n'avait aucune idée du gracieux tableau
qu'elle représentait, dans le manteau brillant de
Justin. Elle se tenait près de la porte, les mains
dans les poches, consciente seulement du trouble
intense que lui procuraient la présence de Tom et
le bleu éblouissant de ses yeux !

— Savez-vous à quoi vous ressemblez dans
cette tenue ? demanda-t-il. A un saint. Le saint,
gardien d'un troupeau. Etes-vous chargée du moral
de la troupe ?

— De quoi dois-je vous protéger ? demanda-
t-elle.

Il haussa les épaules, et dit qu'il y avait bien

des choses à faire dans cette maison. Pour lui, pour Emily pour Maggie.

— Peut-être simplement les protéger les uns des autres ?

Roz pensa tristement qu'elle devait surtout se garder de lui...

Elle essayait d'écarter le sentiment qui l'envahissait, alors qu'elle se tenait contre la porte. Une sorte de faiblesse. Il lui était réellement difficile de se déraciner de l'endroit où elle s'était arrêtée. Si seulement elle pouvait ressentir pour Tom les sentiments qu'elle éprouvait pour Nigel : une amitié qui lui laissait toute liberté d'esprit !

Tandis que... Oui, elle devait se garder même des rencontres occasionnelles comme celle-ci, sinon il finirait par s'apercevoir de ce qu'elle éprouvait. Et il risquerait, alors, d'être gentil... par pitié.

— Je dois retourner au journal dit-il, croyant que seule la politesse la retenait. Si vous voyez Andrina — mais qui pourrait la manquer, n'est-ce pas — dites-lui que je reviendrai plus tard assister à quelques répétitions. D'accord ?

Et pendant qu'il se dirigeait vers sa voiture, il ajouta :

— Dites à Ellen que vous devez avoir un manteau comme celui-là. Comme cadeau pour l'ouverture par exemple. N'oubliez pas.

*
**

Quand les épaules de Roz devinrent trop douloureuses, après des heures de couture assidue, elle quitta la Grange où la répétition était encore en cours, et marcha un peu pour se dégourdir les jambes. Le temps froid mais ensoleillé était revigorant. Elle ne put s'empêcher de franchir le portail des Burrel pour faire un tour dans le jardin. Elle se demandait si Emily serait dans les environs.

Les allées étaient désertes et semblaient endormies dans l'air frais et vif. Le jardin était bien entretenu, ratissé et net. Un jardin de jardinier, mais pas un endroit pour des fleurs, même en plein été. Presque uniquement composé de pelouses et d'arbustes, d'allées débarrassées de la moindre trace de mauvaise herbe. Un jardin trop sage, et un peu triste.

Il y avait un cadran solaire au bout d'une de ces allées, et un souffle de jasmin d'hiver à son pied. Elle y courut.

Comme elle errait ainsi sans but, elle fut heureuse d'entendre l'aboiement du labrador, arrivant joyeusement et tout frétillant à sa rencontre. Il sauta sur elle, tellement fougueusement qu'il faillit la faire tomber.

— Oui, oui... Bon chien... bon chien ! murmura Roz mettant ses bras autour du cou soyeux, couleur de miel, de la bête. Il la suivit, mais comme ils parcouraient ensemble les allées, il y eut un grognement moins chaleureux que l'aboiement du chien, tout à l'heure.

— Hé ! Vous ! Là ! Que faites-vous dans mon jardin ? Montez plutôt ! Tout de suite.

La fenêtre se referma sur la grande chambre déjà éclairée.

Peu désireuse de voir rompre sa solitude et la joyeuse compagnie du chien, Roz entra. Elle trouva

Jack Burrel dans sa chambre, marchant au bras de l'infirmière.

Spectacle incongru. Curieux assemblage !

L'opinion de Roz sur Emily avait changé depuis que Nigel la lui avait décrite comme « une bonne affaire ». Débarrassée de son rhume affreux, la garde était réellement jolie sous ses cheveux roux.

— Alors, vous voilà enfin ! dit Jack en signe de bienvenue. Maintenant que vous êtes ici, vous pouvez bien me faire faire un tour de chambre pendant que l'infirmière ira prendre son thé. Filez ! Miss Matthews vous remplacera très bien.

— Mais... vous ne savez pas encore utiliser correctement votre canne, Monsieur.

— Je l'utiliserai comme je l'entendrai, dit-il avec une visible menace. Partez et laissez-moi bavarder avec miss Matthiews. Je ne veux pas entendre de vous un mot de plus !

Roz mit au crédit de l'infirmière une sortie très digne.

Quand elle eut quitté la pièce, Jack dit :

— Bon ! Avez-vous un moment pour faire un tour avec moi ?

— J'en serai contente.

— C'est alors que vous avez une nature très généreuse.

— Vous voulez dire à cause de l'affaire du théâtre ? dit Roz avec bonne humeur.

Elle se mit assez facilement au pas lent, difficile, du malade. Ils marchèrent ainsi avec précaution un moment.

Certaines gens, pensait Roz, se laissent abattre

et d'autres luttent de toutes leurs forces pour recon-
quérir la santé. Jack était de ses derniers. Sa canne
au pommeau d'argent était accrochée au dos d'une
chaise, mais quand Roz fit un geste vers elle, il
dit :

— Ne m'offrez pas cette chose, s'il vous plaît.
Je ne suis pas encore mort.

Et il continua la promenade. Finalement, il
grogna :

— Elle a dit cinq fois et j'ai tourné cinq fois.
Stupide fille ! Je me demande pourquoi je lui obéis.
Elle n'a rien dans la tête que des recettes médicales.

Roz l'accompagna jusqu'à son fauteuil où il
s'installa avec un soulagement visible. Elle approcha une chaise et s'assit près de lui. Jack la regarda
des pieds à la tête.

— Votre tête, à vous, me paraît mieux meublée. Dites-moi un peu ce qu'elle contient.

— Je suis sûr que vous savez où nous en sommes, pour la Grange.

— La Grange ! répéta-t-il avec un sourire sarcastique. Personne ici ne peut parler d'autre chose.
Donnez-moi des nouvelles de votre oncle. Dites-moi
pourquoi il ne vient pas me voir. Personne ne s'inquiète de moi. Pas de lettres ! Pas de téléphone !
Je pourrais être cloué ici pendant un an...

— Mais, monsieur Burrel, je suis sûre qu'au
journal...

— Sans intérêt. Je parle des vrais amis, des
prétendus vrais amis. Personne ne comprend plus
l'amitié, maintenant ! Pourtant c'est la seule chose
un peu réconfortante. Dites à votre oncle que je
l'attends demain sans faute. Pour déjeuner. Cette...

Comment l'appelez-vous ?... cette actrice vient aussi. Elle n'est pas désagréable à regarder. J'ai connu une fille qui lui ressemblait quand j'étais jeune... Vous venez aussi.

— Oh ! Mais...

Son visage étonné d'un possible refus, sa mâchoire carrée brusquement serrée, ses vieux yeux bleus féroces la firent rapidement changer sa phrase.

— Mais... vous n'avez pas besoin de moi si vous avez Andrina...

— Est-ce que je vous le demanderais si je n'avais pas envie que vous veniez ?

La réplique réduisit Roz au silence.

C'était d'ailleurs toujours le but de Jack Burrel quand il avait réussi à attirer quelqu'un dans une visite.

Maintenant, il regardait Roz avec satisfaction. Il l'informa qu'il irait travailler un moment au journal la semaine prochaine.

— Il faut bien que j'aille me rendre compte de ce qui s'y passe. Dieu seul sait ce que mon fils a fabriqué là-bas ! La pagaille sûrement.

— Quelqu'un au théâtre m'a dit que la circulation avait augmenté ces jours-ci. Le « Post » l'a signalé, avec des chiffres.

— Vous ne croyez pas aux chiffres, j'espère ?

— Monsieur Burrel, c'était dans votre journal !

— Les estimations sont calculées pour faire croire aux gens ce qu'on veut leur faire croire ; dit-il, moqueur. C'est l'ennui, avec les statistiques. Elles sont traitées avec le même respect que le Saint-Esprit. Quand j'ai eu cette sacrée attaque, cela n'a pas fait vendre un journal de plus !

Roz ne put s'empêcher de rire et, quand il vit qu'il l'avait amusée, il joignit son rire au sien.

— Avez-vous entendu parler du nom qu'ils veulent donner au nouveau théâtre ? demanda-t-il. Je l'ai demandé à... Comment l'appelez-vous, déjà ?... Bref, cette actrice, mais elle ne savait pas. Et vous ?

— Ellen voudrait qu'on l'appelle : La Grange Burrel... Si vous n'y voyez pas d'inconvénient, évidemment.

A son air, Roz était bien certaine qu'il le savait déjà. Il voulait simplement le lui entendre dire pour pouvoir répondre :

— Bah ! Je me demande ? Est-ce que çà ne sonne pas comme un de ces nouveaux restaurants ? Une roue de charrette à la devanture et des steacks trop cuits avec des champignons qui ne le sont pas assez...

Roz fit entendre un nouvel éclat de rire.

— ... et d'horribles salades avec trop de vinaigre et du vin qui devrait s'appeler vinaigre..., dit-il, excité par le sujet.

Ils se mirent à rire ensemble. Le vieux Jack se régalait d'avoir une auditrice complaisante à ses bons mots. Et quand, finalement, elle lui assura qu'elle devait retourner travailler, il lui arracha la promesse qu'elle viendrait déjeuner le lendemain avec son oncle.

— Envoyez-moi l'infirmière, en descendant. Prévenez-la qu'elle se monte une carafe d'eau. J'ai l'intention de lui faire lire le journal au complet. A haute voix !

Roz repartit pour la Grange, retira le manteau

safran et le rendit avec un sourire de remerciement.
Elle se sentait en meilleures dispositions depuis sa
visite au père de Tom.

Le vieux Jack était excessif. Comment Tom
s'entendait-il avec lui ? Et n'y avait-il pas quelque
chose d'assez semblable en son fils ? Roz passait
une grosse aiguille dans un des manteaux de ber-
gers quand Nigel vint vers elle. La répétition était
terminée. Les acteurs étaient assis sur la scène,
buvant du thé.

— Où étiez-vous ? demanda-t-il en s'asseyant
près d'elle.

— Je faisais une visite imprévue à Jack Burrel.

— Vous êtes brave, Roz ! A-t-il été grossier
avec vous ?

— Non. Son comportement habituel.

— Il semble que vous sachiez vous en tirer
avec lui, déclara Nigel en haussant un sourcil. J'aimerais qu'il se conduise un peu mieux avec Emily.
Elle était encore en larmes la nuit dernière. Je dois
vous dire, chérie, qu'une femme qui renifle dans
un mouchoir trempé n'est pas exactement l'idée que
je me fais d'une soirée agréable à la discothèque.

— Elle devait se désoler sur son sort. Le travail n'est pas drôle là-bas. Ne soyez pas un mons-
tre sans cœur, Nigel !

— Moi ? Sans cœur ? Et, que pensez-vous que
je fasse en ce moment de mes journées ? J'écoute
les plaintes des acteurs, et j'essaie de les consoler.

Il baissa la voix jusqu'au murmure avant de
dire :

— Ils détestent la Grange. Et ce n'est pas
drôle !

*
**

Les acteurs étaient naturellement arrivés dans
leur nouveau local avec des idées préconçues. Mais
chacune s'était trouvée exacte. Ou, tout au moins,
le pensaient-ils.

L'acoustique était épouvantable, disaient les
uns. Les autres, et parfois les mêmes, trouvaient
qu'on y gelait. Colley, le comique, avait découvert
une planche qui criait sous les pas d'une façon
intolérable. Et il passait son temps dessus délibé-
rément, pendant toutes les répétitions.

Andrina avait grogné quand elle avait vu la
taille de son placard à robes. Et déclaré qu'il lui
en fallait un second. Sinon, elle ne jouerait pas.

Ellen avait prématurément interrompu la répétition, pour « mettre les choses au point » avait-
elle expliqué avec tact.

La troupe s'était alors consultée et Nigel et
Ellen avaient mis le menuisier au travail.

Roz compatissait suffisamment pour dire :

— Nigel, je resterai tard ce soir. Vous aurez
besoin de moi.

— Inutile, dans ces cas-là, Roz. Je vous ra-
mène chez vous. Vous avez besoin de détente,
vous aussi. Et d'un repas chaud.

— Et vous ?

— Je mangerai un steack et reviendrai ensuite
ici. Çà risque d'être une de ces nuits... inoubliables.
Je sens çà...

En la reconduisant à Stonebridge, Nigel lui
conta les différents ennuis qu'elle avait évités en
allant bavarder avec Jack Burrel.

— Mais je ne me suis absentée qu'une heure. Il n'est pas possible qu'il se soit passé tellement de choses !

— Si vous aviez vu Justin chercher « le » courant d'air particulier qui lui donnait mal aux oreilles. Et entendu Andrina hurler quand elle a découvert son placard...

— Elle est trop gâtée.

— Evidemment ! Et, pour comble, elle a maintenant un auteur écrivant spécialement pour elle. Vous saviez que Tom avait écrit sa pièce dans cette idée ?

— Vous aimez me déprimer, Nigel.

— Non, mais il vaut mieux que vous soyez au courant des plus gros pépins à prévoir. Et j'ai bien peur que la baraque ne serve de nouveau à engranger le foin...

— Mais, Nigel, tout le monde dit que c'est temporaire et qu'en tout cas il y a encore un espoir pour la Comédie, gémit Roz qui avait repoussé son propre chagrin pour mieux participer aux soucis des gens du théâtre.

— Le type des transports est revenu. Votre oncle ne vous l'a pas dit ? Le sort du théâtre est scellé. La démolition commence la semaine prochaine.

— Oh ! Nigel ! C'est à vous rendre malade !

— Courage Roz. Tenez, vous voilà chez vous.

— Merci. Verrez-vous Emily ce soir ?

— Je le pense.

— Vous l'aimez bien, non ?

— Mon Dieu... oui.

— Vous avez de la chance.

— Pas du tout, Roz. Et je suis surpris que vous le pensiez.

C'était une curieuse réponse.

Nigel repartit et Roz s'en fut vers la maison de son oncle, précédée d'un petit nuage de vapeur à chaque respiration. Elle pensait à la journée qui finissait. Tom Burrel. Le manteau safran. Le père de Tom qui l'avait fait rire. Nigel retournant à la Grange. Les acteurs mécontents...

Son oncle était assis à son bureau comme d'habitude. Il écrivait. Avec sa barbe grise bien taillée, il avait l'air d'un poète victorien. Il se tourna vers elle, en entendant son pas et lui sourit.

— Alors ?

Roz se laissa tomber sur le divan comme si ses jambes ne la soutenaient plus. Elle jeta son manteau afgan sur le parquet, et se débarrassa de ses bottes. Puis elle dit :

— Quelle horreur dégoûtante je suis !

— Vous paraissez plutôt une horreur épuisée.

— Je ne suis pas épuisée. Je me sens bien ! Heureuse d'être à la maison.

Elle bâilla et s'étira, puis regarda aimablement la pièce intime et en désordre. Elle l'aimait mieux que la Grange.

Son oncle continuait à la regarder attentivement. Roz lui sourit.

— Qu'y a-t-il, Arthur ? Vous semblez avoir une idée derrière la tête.

— Eh bien, j'avais l'intention de vous emmener ce soir chez ces amis dont je vous ai parlé : les Adam qui nous ont si souvent invités à dîner. Mais vous n'étiez jamais libre, ma pauvre Roz. Ils

se souviennent de votre père. Je pensais qu'aujour-
d'hui... Mais j'ai une mauvaise nouvelle pour
vous...

— Oh ! Qu'est-il arrivé ?

— Seigneur, petite ! Ne sautez pas au plafond !
Ellen Warburton a téléphoné il y a un moment
pour dire qu'à son grand regret, elle avait besoin
de vous, dans une demi-heure à la Grange.

— Il doit y avoir quelque chose qui va de travers.

— Elle a pensé que ce serait votre opinion et
vous fait dire qu'il n'y a rien de très sérieux. Rien,
en tout cas, qui ne puisse se régler sans drame.
Mais elle a besoin de vous. Ma pauvre enfant, il
faut que vous repartiez là-bas.

Arthur craignait des protestations. Quand une
chose pareille arrivait à son bureau, les secrétaires
le prenaient fort mal... Sa nièce ne laissa pas échapper la moindre récrimination. Pourtant, elle paraissait sale et fatiguée par sa longue journée.

Elle se servit de pain et de fromage, et but un
verre de lait, d'un air préoccupé. Quand elle eut
terminé sa modeste collation, elle parla à Arthur
de sa visite à Jack Burrel.

— Je n'ai pas l'intention d'y aller pour le lunch,
et du reste, je n'en aurai certainement pas le temps.
Croyez-vous que monsieur Burrel s'en trouve offen-
sé ? En tout cas, j'ai une bonne excuse avec cette
nouvelle urgence.

Elle paraissait soulagée.

Arthur — c'était bien son genre — ne demanda
aucune explication sur les raisons de l'invitation de
son ami. Comme il se levait pour aller accompagner

sa nièce, on sonna. Il eut une mimique étonnée. A cette heure ?

— Le visiteur, quel qu'il soit, sera désappointé, dit-il en allant ouvrir. Nous devons partir maintenant.

Roz finit son lait et tressaillit en entendant :

— Bonsoir, Tom !

Oh ! Non ! songeait-elle. Pas maintenant ! Elle écoutait, espérant que Tom et son oncle prendraient rendez-vous pour un autre soir... Mais son espoir ne dura pas. Quelques secondes plus tard, ils entraient tous deux dans le studio. Tom regarda le plateau et le verre de lait que la jeune fille venait d'y déposer.

— C'est vraiment la grande vie, chez vous ! remarqua-t-il. Le champagne et le caviar. Repas très complet et fort nourrissant. Vous n'avez pas honte, Arthur ?

— Je n'y suis pour rien, mon garçon ! se défendit celui-ci en riant. J'avais projeté d'emmener Rosalind dîner avec moi chez des amis, les Adam, qui nous invitent depuis longtemps. Un coup de téléphone d'Ellen tout à l'heure a tout mis par terre !

Il se tourna alors vers Roz.

— Tom vient de m'apprendre qu'il était convoqué aussi. Il propose de vous emmener.

Elle remercia et quitta la pièce pour emporter son plateau à la cuisine.

Arthur les regarda partir, descendant le chemin. Roz, mince et gracieuse sous ses cheveux dorés, Tom, près d'elle, large, solide.

Un beau couple. Pourquoi donc ? soupira-t-il.
C'était vraiment trop dommage !

Roz se retrouva, une fois de plus, dans la voiture de sport noire. La nuit était sombre, humide,
brumeuse. Quand ils eurent atteint la campagne,
la brume devint un brouillard, tourbillonnant dans
les virages comme une armée de fantômes.

Tom conduisait avec attention, et silencieux.
C'est Roz, finalement qui engagea la conversation.
Elle demanda :

— Ellen vous a-t-elle dit ce qui se passait ?

— Ce n'est pas à elle que j'ai parlé. Nigel Norton a téléphoné au journal. J'ai dans l'idée qu'ils
ont l'intention de me demander d'autres coupures
dans ma pièce. Il me semble que je n'ai rien fait
d'autre depuis qu'ils l'ont entre les mains. Et toujours les meilleurs passages, à mon avis. Mais je
pense que tous les auteurs en disent autant...

— Les acteurs détestent cela aussi, dit Roz. Ils
assurent, tout comme vous, qu'on coupe leurs meilleures tirades. Ce qu'ils veulent dire, en réalité
c'est qu'on s'attaque toujours à leurs propres répliques. Et je vous assure que ça fait du bruit. C'est
comme enlever une poupée à un enfant...

Il dit sèchement :

— Cependant, vous les comprenez, n'est-ce
pas ? Vous comprenez ce qu'ils ressentent ?

Il mit en marche l'essuie-glace, qui nettoya un
peu le paysage devant eux, dans un chuintement
monotone. Roz murmura comme si elle pensait
tout haut :

— Oui, je les comprends. Je me sens presque
l'une des leurs. Ils ont moins de trois heures pour

créer un personnage vivant, pour montrer au public quelqu'un de réel, qui souffre et qui aime, leur en faire découvrir tous les aspects, même les plus secrets. Cela demande de nombreuses qualités : de la mémoire et de l'imagination... Du sentiment et beaucoup de contrôle. Je les admire.

C'était certainement la plus longue phrase qu'elle eût jamais prononcée en sa présence. C'est seulement quand elle eut fini qu'elle se sentit embarrassée.

— J'ai été plutôt emphatique, n'est-ce pas ? Excusez-moi.

— Ne regrettez rien, Roz. C'était intéressant. Mais, pourquoi, puisque vous ressentez cela, n'êtes-vous pas devenue comédienne ?

Elle se demanda brusquement si la question n'avait pas plus de prolongements qu'il ne paraissait. Avait-il envie d'écrire un article sur ce sujet ? Elle ne songeait pas à cela avec orgueil, mais avec inquiétude. Elle aurait détesté lire, sous la plume de Tom, un article au sujet de « La petite assistante de Régie dont le père était un acteur ». Il l'avait déjà froissée une fois lors de sa bévue pour les gants manquants. Elle n'avait aucun désir d'être de nouveau sur la sellette.

— J'ai étudié pour être actrice, Tom. Je crois vous l'avoir dit. Mais je suis plus heureuse dans le travail que je fais, même si, parfois, j'oublie une paire de gants. Si nous changions de sujet ?

Dans l'obscurité, elle sentait qu'il la regardait, mais il ne répondit pas. Elle se demandait si elle l'avait froissé.

Ils continuèrent à rouler dans le brouillard.

La Grange était illuminée et la musique parvenait jusqu'à eux. Ils trouvèrent Ellen sur le plateau, faisant répéter trois acteurs dans une scène qui comportait des chansons. Le président de la chorale et cinq musiciens étaient auprès d'elle.

L'orchestre était composé d'une flûte à bec, une cornemuse, un violon et un petit tambour. La musique était familière, monotone et douce et les voix des acteurs, excellentes. Ils étaient si nombreux, songeait Roz, à savoir chanter !

Perchée sur une échelle dans un angle, se dressait la haute silhouette d'Andrina, en vert. Elle aperçut Tom et lui fit signe de s'approcher.

Roz se glissa dans un coin, discrètement, et enleva son manteau. Regardant ensuite autour d'elle, elle découvrit Nigel, armé du Livre. Il lui fit signe aussi et elle le rejoignit.

Assise à même le plancher, elle écouta. La chanson se termina, les musiciens se mirent au repos. Ellen leur dit quelques mots, et fredonna une phrase avec eux. Puis, elle aperçut l'éclatante chevelure de Roz et vint à elle.

— Merci d'être revenue si vite. Tom vous a-t-il expliqué ?

— Non. L'aurait-il dû ? demanda Roz, fort surprise.

Ellen se mit à rire.

— Les auteurs sont toujours des poltrons, ma chère. Même quand ils sont rédacteurs en chef d'un journal. Je dois vous parler, Rosalind, continuat-elle de sa voix chaude. Venez avec moi un moment.

CHAPITRE X

De plus en plus surprise Roz jeta à Nigel un regard qui appelait clairement : « Au secours ! Qu'est-ce qui m'arrive ? »

Celui de Nigel, non moins expressif, était destiné à la rassurer. Mais le cœur de Roz battait cependant très fort pendant qu'elle suivait Ellen vers une rangée de fauteuils vides dans le fond de la salle.

— Plus nous serons loin des oreilles indiscrètes, mieux cela vaudra, commença Ellen. Les gens de la troupe ne sont pas dans les meilleures dispositions en ce moment. Ils n'ont pas besoin de savoir ce que j'ai à vous dire.

Très désorientée, Roz s'assit auprès d'Ellen et accepta un bonbon à la menthe. Elles le sucèrent un instant en silence.

Le flutiste reprit l'air de tout à l'heure, le petit tambour battit de nouveau. Une voix chanta doucement : « C'était un matin d'hiver, les moutons étaient perdus dans la neige. »

Ellen attendit la fin de la phrase musicale et dit alors :

— Dites-moi, Roz, que pensez-vous de vos talents d'actrice ?

— Mes quoi ? madame Warburton.

— Vous avez suivi les cours de l'Ecole d'Art dramatique pendant trois ans. Je l'ai appris par votre lettre acceptant l'emploi que nous proposions et donnant vos références. Et votre père m'avait dit, il y a des années, qu'il désirait vous faire suivre cette carrière.

— Il le désirait, c'est vrai, mais je n'ai jamais réalisé son vœu. Sans doute par timidité. Je n'ai jamais réussi à me projeter dans un rôle. A l'école on m'a dit que c'était sans espoir. Absolument sans espoir.

Mais Ellen n'écoutait pas. Et Roz savait pourquoi. Elle ne faisait pas partie depuis quatre ans du monde du théâtre sans se douter de ce qui allait arriver.

— Vous savez, reprit Ellen, que l'actrice que nous attendions pour jouer le rôle de Quenild venait du groupe dramatique d'Edimbourg ? Jany Hale. Une charmante fille. Devait arriver demain.

— Oui ?

— Eh bien ! je viens tout juste de recevoir un coup de téléphone de sa mère : Jeny Hale a la jaunisse.

— Oh ! Non !

— Oh ! Si ! Roz. Et je vois que vous avez déjà compris. Nous avons deux jours devant nous pour que vous puissiez reprendre le rôle. Nigel vous aidera. Il est extraordinaire dans des moments pareils. Oh ! Rosalind, vous ne pouvez pas refuser ! Ne vous faites pas prier, mon enfant...

Roz se sentait incapable de dire un mot.

Certes, elle avait joué dans quelques productions, depuis qu'elle avait commencé à travailler. Utiliser les assistantes était une pratique courante, spécialement dans les périodes où les fonds étaient bas.

Roz avait été une paysanne dans *Coriolan*, un enfant turbulent dans une pièce qu'elle avait oubliée, une fée dans une autre encore. Mais, à part quelques exclamations et une présence parmi d'autres figurants, elle n'avait pas prononcé un mot en scène depuis la fin de ses cours.

Son seul désir était de refuser mais c'était impossible. Si quelqu'un d'autre avait pu prendre le rôle, Ellen Warburton ne le lui aurait pas demandé, à elle !

Toutes ces pensées se bousculaient dans la tête de Roz, tandis qu'Ellen, qui savait très bien quand elle devait rester silencieuse, attendait sans apparente impatience.

Elle se contenta de sortir de sa poche un autre bonbon.

Colley, le comique, se frayant à ce moment un chemin vers elle, demanda :

— Ellen, puis-je vous dire un mot ?

Pour un instant, Roz oublia son problème. L'expression de l'acteur n'était pas rassurante. Les yeux durs, la mâchoire serrée, il semblait à ses pires moments. Et Ellen paraissait si fatiguée...

— Je vous retrouverai dans un moment, dit la directrice à Roz. Attendez-moi ici.

Colley remercia et alla ostensiblement attendre Ellen sur le plateau. Roz soupira.

— C'est pour quand, mon premier essai ?

La directrice lui saisit les deux mains et les

serra chaleureusement. Puis elle alla rejoindre Colley.

Nigel avait surveillé attentivement ce qui se passait au fond de la salle. Quand Roz le rejoignit, il demanda :

— Alors, ça va ?

— Oh ! Non !

— Mais si, Roz, ça ira très bien. Ellen vous donne congé demain toute la journée pour apprendre le texte. La fille qui s'occupe des accessoires est en train de vous chercher en ville ce qu'il vous faudra. En outre, vous serez beacoup mieux en dehors de cette ménagerie pour apprendre vos lignes. J'adore un peu de drame, déclara Nigel en riant. Tenez ! voilà un texte tout propre. Je ne veux pas que vous utilisiez cette saleté que vous aviez comme assistante. Elle est toute gribouillée. J'ai marqué vos lignes en rouge. Voyez !

— J'espère que le rôle est court.

Nigel éclata de rire. Quelques-uns des acteurs présents se tournèrent vers lui dans l'espoir de quelque chose de drôle. Ils aimaient partager toutes les plaisanteries. Mais Nigel évita leurs regards. La nouvelle du remplacement de Jany n'avait pas encore été annoncée. Nigel soupira et sourit à Roz.

— Ma chère, lui dit-il à voix basse, c'est bien la première fois que j'entends une phrase pareille. Pas trop long... Venez ! je vais vous reconduire chez vous.

— Mais... je suis supposée rester ici.

— Non, chérie. Ellen voulait simplement savoir ce que vous diriez du rôle.

— Pensez-vous que j'avais le choix ?

— Qu'en pensez-vous vous-même ? Venez. Je vous raccompagne. Quant à nous, nous en avons bien pour la nuit entière. J'ai les notes d'Ellen pour le rôle de Quenild, ainsi vous pourrez y travailler dès demain matin.

Tom Burrel avait été rejoindre Andrina au pied de son échelle. Il vit Roz se préparer à partir et vint à elle.

— Que pensez-vous des nouvelles ? demanda-t-il.

— Pourquoi ne m'en avez-vous rien dit ?

Il hésita un moment, comme s'il se posait la même question. A ce moment, debout l'un près de l'autre dans la lumière de la scène, avec le chanteur reprenant le refrain de la brebis perdue, elle espéra que l'homme qui lui faisait face allait lui parler gentiment, lui donner le sentiment qu'ils partageaient de nouveau quelque chose, une affinité, quelque amitié. Mais il dit :

— Et voilà la mystérieuse inconnue...

Elle ne comprit pas ce qu'il voulait dire, mais elle savait reconnaître un son de voix. Il était à l'opposé de celui qu'elle avait espéré.

— Je ne comprends pas ce que vous voulez dire. Je ne savais pas que Jany était malade, mais vous, vous le saviez. Pourquoi ne m'avez-vous pas prévenue de ce qu'Ellen allait me demander ?

— Je ne parle pas de Jany Hale, répliqua-t-il. Je devais laisser Ellen Warburton vous mettre au courant. Elle est la directrice ; ici, les gens aiment entendre les nouvelles de leur patron. Je parlais de

Clément Matthiews. Pourquoi ne m'avez-vous jamais dit qu'il était votre père ?

— Vous ne me l'avez jamais demandé.

Sa façon de répondre ne parut pas le surprendre.

— Ainsi, vous êtes la fille d'un acteur très distingué du théâtre londonien ? Andrina dit qu'il était excellent.

— Il l'était et le public l'adorait.

— Peut-être le public de Stonebridge va-t-il aussi vous « adorer » ?

Elle le quitta rapidement sans répondre. Il l'avait blessée. Et il l'avait fait sciemment.

*
**

Roz avait pris son bain, s'était habillée et avait même avalé rapidement son petit déjeuner quand elle entendit la voiture de Nigel s'arrêter devant la porte. Elle ne prit pas le temps d'enfiler un vêtement chaud avant d'aller l'accueillir.

La pluie avait cessé et l'air était doux comme si le printemps était proche. Le brouillard avait disparu, l'air sentait bon. Nigel, dans son costume élégant, avec son visage jeune et gai, s'accordait fort bien avec le temps.

— Etes-vous stimulée par ce clin d'œil du destin, Roz ?

— Bouleversée de terreur, oui. Je suis éveillée depuis cinq heures du matin, et ravie que vous arriviez si tôt. Le rôle est tellement plus long que je ne pensais !

— Vingt-huit lignes n'ont jamais tué une actrice, petite. Cessez de vous considérer comme si

vous aviez le principal rôle dans Hamlet ! Le rôle
de Quenild est charmant et vous allez en tirer un
excellent parti, j'en suis certain.

Ils entrèrent dans la maison, s'assirent dans la
salle à manger près du feu et Nigel réclama une
tasse de café.

Arthur passa la tête à la porte et se mit à
rire quand Nigel lui apprit la nouvelle. C'était la
première fois que Roz entendait son oncle rire
bruyamment. Elle en fut plutôt vexée. Il les laissa
et alla prendre son petit déjeuner dans la cuisine.

Nigel et Roz s'installèrent alors pour « trouver » Quenild. Découvrir un personnage est comme
une sorte de chasse. C'est pour un acteur chercher
à l'aveuglette dans une foule inconnue un visage
qui deviendra intime, amical, celui d'un véritable
ami.

Quenild était la fille d'un bourgeois. Elle habitait une jolie maison. Son père était riche et lui
avait constitué une confortable dot. Elle était
recherchée par tous les jeunes gens de la région.
Les gens, à cette époque, n'étaient plus des serfs,
mais des cultivateurs, des petits propriétaires,
conscients de leur indépendance. Ils étaient libres,
souvent querelleurs, intelligents.

Ils aimaient aussi se distraire : les sports, la
chasse surtout, les danses en plein air occupaient
leurs loisirs.

Mais, quelle sorte de fille était Quenild ? Pas
plus Nigel que Roz ne voulaient en faire une fille
bornée, ou intrigante. Mais ils ne voulaient pas
davantage qu'elle fût une poule mouillée. Elle
devait avoir de la volonté, de la bonne humeur, de

la vivacité, comme ses compagnes. Par-dessus tout, elle devait être un pur produit du terroir. Une fille des environs de Stonebridge, connaissant tous les sentiers, tous les champs. Elle devait les aimer autant que l'air qu'elle respirait.

— Et, si vous pouvez mettre tout cela dans vos vingt-huit lignes, Roz, ce sera parfait !

Il regarda alors sa montre et, comme d'habitude, s'écria :

— Déjà si tard ?

— Vous n'allez pas m'abandonner ?

— Bien sûr que si, petite sotte ! Vous avez toute la journée pour travailler le rôle. On n'aura besoin de vous qu'à cinq heures et demie, ce soir. Aussi, retroussez vos manches, chérie, et allez-y. Vous y arriverez, Roz. N'ayez pas l'air si effrayée.

Il lui donna un rapide baiser d'encouragement répéta : « Ne vous en faites donc pas. » Et partit aussi rapidement qu'il était venu.

Elle resta seule dans la maison silencieuse, son texte devant elle. Elle prononça les premiers mots à haute voix, puis les répéta.

Elle avait étudié l'art de jouer la comédie pendant trois ans, mais maintenant, elle ne se souvenait plus de cette technique si péniblement acquise. Sans elle, comment pouvait-elle espérer avoir le moindre atome de confiance dans ses moyens ?

Le rôle de Quenild n'était pas très important, elle le savait, mais néanmoins, elle devait le remplir du mieux qu'elle le pourrait. Elle le devait à Ellen et aussi à son propre père qui aurait été si heureux s'il avait su ce qui lui arrivait ! Si amusé !

Et, en quelque sorte, Roz se sentait aussi des responsabilités vis-à-vis des autres acteurs. Elle avait toujours travaillé pour eux. Maintenant elle allait travailler avec eux. Ce qui était très différent. Ils étaient tous si prompts à la critique, si perfectionnistes...

En dernier ressort, elle le devait aussi à Tom, qui avait écrit « *Héritage* ». Elle essayait d'oublier son attitude d'hier soir pour penser seulement au travail qu'il avait fourni, aux espoirs qu'il nourrissait. A la pièce qu'elle admirait.

Ellen avait beausoup parlé de cette œuvre le soir de la première lecture. Oh ! Pourquoi, se disait Roz maintenant, n'avait-elle pas écouté davantage ! Qu'avait-elle dit ? Que cette pièce avait une signification particulière pour eux, gens du pays.

Roz se souvenait de la façon dont Tom lui-même lui avait parlé de ce pays quand ils étaient allés ensemble à la Grange.

« Une région de contrastes, avait-il dit. A la fois riche et pauvre, sauvage et douce. Laide parfois et pourtant prenante... Je vous montrerai tout cela, Roz...

Elle avait encore sa voix dans l'oreille. Et maintenant...

Glissant le manuscrit dans son sac, elle partit.

Il faisait doux pour un jour d'hiver. Il y avait dans l'air comme une promesse de jacinthes. Quand l'autobus arriva, elle prit un billet pour un certain calvaire.

— Quand repassez-vous par là au retour ? demanda-t-elle au conducteur.

— Comptez trois heures, dit-il d'une voix rude. Nous tournons à la croix et revenons par le même chemin. Mais faites-vous bien voir. Sinon vous risquez de rester dans la lande jusqu'à demain matin.

— Je me mettrai au milieu du chemin et agiterai les bras. Je n'ai pas envie d'être oubliée !

Elle eut le vent debout quand elle quitta le véhicule pour prendre le chemin de la lande. Malgré cela, elle s'assit un moment sur un rocher dominant la petite rivière scintillante. L'eau était si rapide, si claire ! Mais les collines étaient nues et sévères, le paysage rude. Quenild devait être ainsi.

Elle posa la main sur le rocher qui lui servait de siège. Il était d'un gris bleuâtre comme les pierres de la maison des Burrel.

Tom... Elle s'était arrêtée là pour essayer de mieux comprendre la pièce et le pays, et c'était à Tom que sa pensée revenait toujours. Devant ses yeux, elle avait son visage déjà marqué de quelques rides, sa silhouette solide, peu élégante mais rassurante, ses épaules larges comme celles d'un boxeur.

« Je ne comprends pas un homme pareil ! » se répétait-elle. Cette force, ce contrôle de lui-même, cette froideur ! Quand il l'avait embrassée passionnément, en fermant les yeux, elle avait pensé qu'il montrait de l'émotion, et lorsque, tout contre lui, elle avait dit : " c'était bon ! " il aurait dû savoir que cela signifiait beaucoup plus !

Oui, pensait-elle il était comme cette contrée sauvage. Dur et solitaire. Pourtant, une sorte de soleil se levait parfois sur ses traits arides. Et alors, il y avait cet incomparable sourire. Mais comme tout était devenu gris depuis que ce sourire avait disparu...

Elle continua son chemin en récitant son rôle tout haut. Elle s'était d'abord appliquée à savoir le texte par cœur, ensuite elle essaya plusieurs intonations. Elle avait oublié quelle différence pouvait créer une syllabe plus ou moins accentuée dans une petite phrase. Ou, simplement, de laisser tomber la voix sur un mot plutôt que sur un autre.

Dans la solitude de la lande, elle essaya de moduler ses intonations, reprenant le texte pour mieux le disséquer.

Quand elle regarda sa montre, elle fut effrayée. Peut-être aurait-elle raté l'autobus ? Elle courut jusqu'à la croix où elle s'était fait déposer.

Avec soulagement, elle entendit le bruit du moteur dans le lointain. Elle était arrivée à temps. Mais, Dieu ! que ces trois heures avaient passé vite !...

— Je croyais bien que vous alliez nous manquer ! dit le conducteur, avec l'air d'un homme qui pense qu'il a à faire à une écervelée.

Il lui adressa un sourire un peu protecteur, mais amical.

— Heureusement vous êtes arrivée à temps ! Je n'ai pas eu à actionner mon avertisseur. Car, vous pensez bien, ma petite, que je n'aurais pas voulu vous oublier dans la lande !

Encore un qui pense que j'ai besoin qu'on veille sur moi, se dit Roz, mécontente.

Pendant le voyage de retour, puis en route pour la Grange, elle répéta consciencieusement son rôle, vérifiant sur le manuscrit qu'elle ne commettait pas d'erreur.

Quand elle quitta l'autobus, tout lui semblait à point. De sa promenade solitaire de l'après-midi, elle avait rapporté un peu plus de confiance en elle. Mais pas en ce qui concernait Tom, hélas !

Quand elle pensait au sourire moqueur qu'Andrina ne manquerait pas de lancer à Tom pendant que Roz répéterait son rôle de Quenild, elle en avait des frissons.

Le changement d'attitude du journaliste lui avait déjà enlevé une bonne partie de son assurance. Un sourire moqueur achèverait de l'anéantir.

*
**

La grande porte cochère était ouverte quand Roz arriva à la Grange. Ellen et quelques acteurs étaient sur le plateau, en train de bavarder, mais la directrice interrompit net la conversation en s'écriant :

— Ah ! La voilà !

Colley et deux ou trois autres acteurs dévisagèrent l'arrivante quand elle vint prendre sa place sur la scène. Elle leur sourit et le comique la salua d'un clin d'œil amical.

Juste avant le début de la première scène, elle jeta un coup d'œil dans le coin où se tenait Nigel. Derrière lui, la table de l'assistante était vide. Comme elle aurait préféré se trouver là !

Nigel, comme Colley, lui fit un petit sourire d'encouragement.

La répétition dura plusieurs heures. Roz travaillait avec concentration. Le rôle de Quenild
était, en réalité, modeste, en comparaison avec celui
que Tom avait fait sur mesure pour Andrina. Mais,
court ou non, il n'était pas tellement facile à réussir et, quand la répétition fut terminée, Roz se
sentit comme vidée de toute réserve d'énergie.

Elle sauta du plateau pour se relaxer, puis jeta
un regard au manuscrit. Quelle était exactement
cette phrase prononcée par un acteur au sujet d'une
superposition de significations diverses ?

La pièce de Tom était exactement cela. Roz
pensait qu'elle n'avait sans doute pas découvert
l'essentiel. Et qu'elle ne le ferait peut-être jamais...

Ellen Warburton vint s'asseoir près d'elle, les
mains dans ses poches.

— Excellent commencement, dit-elle. Mais il
faudra continuer à travailler le rôle, évidemment.
Utilisez votre imagination, ma petite Roz.

— Mais c'est ce que je fais !

— J'en suis sûre, mais il faut la pousser plus
loin encore. L'imagination est élastique quand on a
vingt ans. Vous serez surprise des résultats que vous
obtiendrez en l'obligeant à courir plus loin. C'est
plus tard dans la vie qu'elle peut nous faire défaut.
Ce que Quenild aura de réel, c'est en vous-même
que vous le trouverez.

Ellen la regarda attentivement un moment,
puis ajouta :

— Ne la faites pas trop naïve. C'est une fille
forte, active, qui a une vie très occupée. Pensez
à ses journées. Debout depuis l'aube, veillant aux
prières du matin, au travail des servantes, à la

préparation des repas. Et, malgré cela, trouvant
le temps de penser à ses toilettes, d'aller à une
fête ou de danser sur l'herbe. Et également de se
laisser faire la cour par tous les garçons qui vire-
voltent autour d'elle et désirent l'avoir pour épouse.
Sa mère est morte pendant l'épidémie de peste,
quand elle était bébé.

Ellen avait sans doute oublié que Roz avait
connu le même malheur...

Cependant, au cours des répétitions, « *Héritage* » commençait à prendre forme. Les mots
trouvaient leur force. Même les acteurs semblaient
plus joyeux malgré les réclamations constantes :
contre les courants d'air, la longueur des tra-
jets, etc.

Lorsque Roz en parla à Nigel, durant un de
ces déjeuners « sur le pouce » auxquels ils s'étaient
habitués, il se mit à rire :

— C'est quand ils cesseront de se plaindre
que je m'inquiéterai ! Savez-vous, petite, que votre
Quenild vient très bien ? Bien que votre voix
reste trop faible.

— Cela ne m'étonne pas ! Aux cours, on
assurait que je jouais pour les deux premiers
rangs de fauteuils. Je suis incompréhensible, vrai ?

— Mais non ! Pas du tout. Essayez de forcer
un peu. Vous avez votre première répétition avec
Andrina aujourd'hui.

— Si vous croyez que je peux l'oublier !

— Pas de panique, enfant ! Elle ne peut vous
reprocher que d'être trop ravissante...

— Attention ! C'est à Emily que vous faites
la cour, Nigel ! Oh ! Ciel ! Çà me fait penser...

J'étais invitée à déjeuner par Jack Burrel aujour-
d'hui !

Pour toute réponse, Nigel se mit à rire.

— Sans cœur ! Qu'est-ce que je vais pouvoir
dire ? Vous avez dix minutes. Allez vous excuser.
Vite ! Galopez !

Roz arriva essoufflée à la Grange et sonna
énergiquement.

— Ah ! Vous voilà, miss Matthiews ! dit
Mme Linnet, soulagée. Je crois qu'ils ont commencé sans vous... à cause du soufflé...

— Voulez-vous m'excuser auprès de monsieur
Burrel. Je ne peux absolument pas rester. Un
imprévu.

— Eh bien ! il faudra que vous le lui expliquiez
vous-même, répliqua la gouvernante plus fermement que Roz aurait pu le penser. Je ne peux pas
me charger d'un tel message.

Elle alla à la porte de la salle à manger et
annonça : miss Matthiews.

Roz crut s'évanouir de confusion. La pièce
était pleine.

Jack Burrel présidait au bout de la longue
table. Andrina, à sa droite, semblait très occupée
à manger son soufflé. En face, Stanley parut à la
pauvre Roz le seul visage amical.

Vis-à-vis de son père, Tom ne semblait pas
s'amuser.

— J'aime avoir une femme de chaque côté.
Venez vite à ma gauche. Vous êtes en retard.

— Je suis désolée, monsieur Burrel. Je ne peux
pas rester. Un imprévu. Je dois remplacer une
actrice malade. Tom a dû vous...

Elle n'arrivait pas à capter le regard de celui-ci. Pourtant c'était *sa* pièce !

— Ta ta ta ! Stanley, dites donc à cette jeune personne...

Roz n'aurait pu avoir un allié plus timide.

— Eh bien ! on a besoin d'elle pour une répétition, Jack. Vous nous dites souvent que nous ne comprenons pas les journalistes. Essayez de nous comprendre à votre tour.

— Mon travail est d'informer le public. Quel est le vôtre ?

C'est Andrina qui releva le gant.

— Votre travail est de donner les informations. Le nôtre, d'aider les gens à les comprendre.

Roz profita de la discussion qui suivit pour s'esquiver.

*
**

Elle avait beaucoup redouté sa première répétition avec Andrina. Celle-ci avait un rôle très intéressant, fort varié et elle avait bien réussi à prendre l'accent du Nord. Son premier reproche fut que Roz ne l'eût pas.

— C'est très différent, dit Ellen. Quenild a été élevée en ville chez des religieuses. Bonne éducation.

— Ce n'est pas indiqué dans le script, répliqua Andrina. Qui l'a dit ?

— Moi ! répliqua Ellen sèchement.

Andrina n'en continua pas moins à harceler Roz sous le moindre prétexte. Tout lui était bon. Un mot qu'on oublie, un sourire au mauvais moment. Roz ne protesta que lorsque Andrina mit sciemment son pied sur l'ourlet de sa robe, la clouant au sol. C'est Nigel, attentif, qui conseilla moqueusement à l'actrice d'avoir le pied moins lourd.

— Oh ! Comme je suis maladroite ! murmura alors cette peste.

Roz avait du mal à cacher son indignation devant de tels procédés. Elle n'avait jamais revendiqué le rôle et ne méritait pas les cruautés dont Andrina l'accablait.

Le jour de la première arriva. Il devait y avoir une dernière répétition en costumes dans la journée.

Nigel avait emmené Roz à la Grange dès le matin.

— Curieux ! murmura-t-il en chemin. Il y a un mois, on jouait encore à la Comédie « Comme il vous plaira ». Et maintenant...

— Oh ! Ne m'y faites pas penser, Nigel. Je n'y suis que trop portée, vous le savez !

— Peut-être voulez-vous l'oublier, mais moi, j'y pense. J'ai téléphoné ce matin pour savoir quand arriveraient les bulldozers.

— Oh ! Nigel !

— Eh bien !... Ils m'ont donné une curieuse réponse, après avoir transmis mon appel de service en service. Il paraît que la date n'est pas encore fixée. J'ai trouvé cela curieux. Il faudra que j'en parle à Tom.

Roz soupira.

— A quoi bon ! De toute façon, le « Post » a gagné, puisque nous sommes à la Grange.

Elle ne voulait pas penser à la Comédie aujourd'hui. Pour ce soir, il lui fallait tout ce qu'elle avait de courage.

— J'ai peur que la Grange ne nous réussisse pas longtemps, reprit Nigel.

— Mais... « *Héritage* » est une pièce excellente !

— Qui vous parle de çà ! Il y a les conditions d'administration, la distance qui effraiera vite le public, surtout l'hiver...

Ils continuèrent à parler métier en roulant. Mais Roz évita de se plaindre des façons inadmissibles d'Andrina, mesquines et méchantes. Elle essaierait de se défendre seule.

La dernière répétition devait avoir lieu à dix heures. On attendait Ellen. Andrina faisait les cent pas sur le plateau, respirant profondément comme un athlète à l'entraînement.

Roz s'approcha. Comme Andrina allait la dépasser avec un regard hautain, elle l'arrêta.

— Puis-je vous dire un mot, miss Grant ? Je me sens très mal à l'aise quand vous montrez votre ennui de jouer avec moi. Ne pourrions-nous être amies ?

— Je n'ai aucune idée de ce que vous voulez dire.

— Si. Vous le savez ! Vous le savez parfaitement.

Andrina haussa délicatement les sourcils.

— Si je parais ennuyée auprès de vous, je vous fais mes excuses, dit-elle d'un ton sarcastique. Mais les acteurs ont beaucoup à penser avant une première. C'est ainsi que *nous* sommes !

Visiblement, Roz n'était pas comprise dans le
« nous ». Bien que l'intention de l'humilier fût
évidente, elle ne voulut pas s'y arrêter. Elle dit :

— Je comprends que vous soyez préoccupée,
miss Grant.

— Préoccupée ? Pas de vous, en tout cas !

Roz préféra s'éloigner, mais, avant, elle murmura :

— Personne ne pourra dire que je n'ai pas
essayé.

*
**

Roz était prête et fardée bien avant l'heure de
la représentation. Le rôle de Quenild exigeait une
perruque brune et un chignon haut d'où s'échap-
paient des boucles descendant dans le cou. Elle
avait passé bien du temps à farder ses cils. Col-
dey, qui l'avait prise en amitié, vint juger du résul-
tat. Il jeta un coup d'œil et lui prit la brosse des
mains pour faire quelques retouches.

— Voilà ! Parfait ! Beaucoup mieux que cette
perche de Grant !

— Chut, Colley !

— Mais, c'est vrai ! dit-il.

Et son regard était à la fois celui d'un homme
devant une femme attrayante et d'un acteur pour
une camarade.

— Tout à fait charmante !

La voix de Nigel retentit dans l'interphone.

— Mesdames et messieurs, la représentation
commencera dans trois minutes.

Le petit tambour eut un léger battement bien rythmé. Le rideau se leva.

« *Héritage* » se termina dans un tonnerre d'applaudissements. Ensuite, Tom recueillit les bravos réservés à l'auteur. Roz, dans le groupe des acteurs, battit des mains jusqu'à ce qu'elles lui cuisent. Mais Tom refusa le petit discours qu'on lui réclamait.

— Vous m'avez entendu toute la soirée. C'est à Ellen Warburton, directrice du théâtre, de vous parler maintenant.

Celle-ci s'exécuta brillamment, remerciant l'auteur, les acteurs et le public, sans oublier le personnel pour le travail fourni.

Le public ne semblant pas pressé de quitter la Grange, elle fit reprendre par les chanteurs le refrain final.

Quand ce fut terminé, Roz revint dans sa loge minuscule. La représentation s'était mieux passée qu'elle ne l'avait espéré. A une de ses sorties, Colley l'avait félicitée et Nigel venait de l'embrasser en disant :

— Vous étiez adorable !

Mais, était-ce vrai ? Elle s'assit pour enlever sa perruque.

— Puis-je entrer ?

— Arthur !

Il tendait les bras. Elle s'y jeta et il l'embrassa affectueusement. C'était la première fois. Il préférait serrer les mains...

— Savez-vous, Rosalind, que vous m'avez beaucoup rappelé votre père ? Il me semblait le revoir jeune. Et, cependant, de temps à autre,

vous m'avez fait penser à ma sœur Reine. J'ai été
ému : je ne m'en cache pas.

— Merci. Mais je ne serai jamais une actrice.
J'ai trop peur ! Que pensez-vous de la pièce ? demanda-t-elle alors.

Et Arthur ne pouvait deviner qu'elle attendait
la réponse, le cœur battant.

— Une très belle peinture de la vie d'autrefois, et un joli travail d'imagination aussi.

C'était un bel éloge. Roz était heureuse.

Jack Burrel avait invité toute la compagnie à
une fête à la Grange, bien qu'il dût aller se coucher avant de voir arriver ses invités, expliqua-t-il
avec une grimace.

CHAPITRE XI

Quand son oncle l'eut quittée, Roz se démaquilla soigneusement et mit la robe du soir qui lui rappelait bien des souvenirs. Mais elle était encore frémissante et nerveuse. Comment, se disait-elle, faisaient les acteurs pour reprendre si vite leur contrôle ? Même les plus petites scènes de ce soir l'avaient fait trembler. Il est vrai que Quenild prononçait les mots que Tom avait créés. A travers eux, elle le cherchait. Le connaissait-elle mieux maintenant ? En dehors de la pièce, que savait-elle réellement de lui ?

Colley et Nigel l'attendaient dans la salle pour l'emmener de l'autre côté du chemin, chez les Burrel. Colley parlait de ses nouveaux gags. Nigel avait passé son bras sur les épaules de Roz. Les deux hommes étaient étonnamment chaleureux. Ils savaient l'effort qu'elle avait fourni.

La maison des Burrel était brillamment éclairée. Ce n'était plus celle qu'un certain soir... L'assemblée était brillante. Andrina trônait, assise sur une marche d'escalier, entourée de jeunes admirateurs. Sa robe abricot lui seyait à merveille.

Roz cherchait son oncle sans le trouver. Elle se dirigeait lentement vers le salon quand, brusquement et sans raison, elle se retourna. Tom était derrière elle.

— C'est curieux ! Je sentais que quelqu'un me regardait.

Disant cela, elle souriait, avec un peu d'espoir. Tant d'indifférents l'avaient félicitée ce soir... Colley, qui avait souvent la dent dure, Nigel, un critique averti... Arthur, même !

Est-ce que Tom, dont l'opinion lui importait le plus, n'allait rien dire ? C'est elle qui finit par murmurer, pauvrement :

— Cela n'a pas mal marché, n'est-ce pas ?

— Mieux que je ne pouvais l'espérer, ou que la pièce le méritait.

— Pas de fausse modestie, monsieur l'auteur, dit Roz en riant, s'oubliant complètement pour ne défendre que l'œuvre. Vous savez bien que la pièce est merveilleuse et...

— Oh ! Vous -avez été très bonne, dit-il, l'interrompant.

— Non. Je manque de pratique, de technique. En si peu de temps...

— Cependant, vous avez été excellente !

Roz resplendit de joie. L'entendre la féliciter pour tout ce qu'elle avait tenté de faire pour lui, était si bon qu'elle ne fit pas attention au ton, mais seulement aux mots.

— Merci, Tom.

Tout à son bonheur, elle ne remarqua pas que, lorsqu'elle avait posé la main sur son bras, il s'était légèrement reculé.

— Et merci d'avoir écrit *Héritage*. Nous vous devons beaucoup.

— Vous plus que n'importe qui, puisque la pièce vous donne enfin la chance que vous attendiez impatiemment !

Cette fois, elle ne pouvait pas ignorer le sarcasme de la phrase. Qu'est-ce que cela signifiait ?

— Je ne comprends pas, Tom. Je n'attendais rien.

Elle eut l'impression qu'il allait la battre.

— Oh ! Çà va ! Inutile de jouer les ingénues. Je ne suis pas Nigel ! Et je ne vous reproche pas vos ambitions. Mais je n'ai pas l'intention d'écrire une autre comédie. Alors, ne perdez pas votre temps avec moi.

Il la quitta brusquement. Elle était anéantie.

Le printemps était enfin sur le point d'arriver. En s'éveillant Roz entendait le chant des oiseaux dans les branches encore nues.

Au grand soulagement d'Ellen, *Héritage* continuait, sinon à remplir chaque soir la salle, au moins à laisser espérer qu'on pourrait prolonger les représentations. Elle envisageait des matinées pour les écoles. Nigel était chargé d'aller porter la bonne parole dans les hameaux des environs. Des services de transports étaient envisagés.

Nigel était bon propagandiste. A l'un de ses retours triomphants, il trouva Roz en train de raccommoder un manteau de berger. Elle avait conservé une partie de ses attributions d'assistante,

malgré les reproches de Colley qui s'était fait son
chevalier. Il trouvait qu'Ellen abusait d'elle !

Nigel annonça de nouveaux succès dans les
campagnes.

— Pourtant, ils étaient prévenus ! Le « Post »
a fait campagne pour la pièce, répliqua Roz, étonnée.

— Le nombre de gens qui ne lisent pas les
journaux, Roz ! Ce n'est pas parce que vous fré-
quentez des journalistes...

— Je n'en fréquente pas. Vous vous trompez.

Nigel ne répondit pas tout de suite. Il considérait Roz, qui paraissait offensée, mais elle était
surtout pâlotte...

— Assez de soupe en thermos ! s'exclamat-
t-il enfin. Je vous emmène dans un endroit chic :
Brillside. Vous connaissez ?

— Çà ferait trop de peine à Emily ! répliqua
Roz, avec un reste de son ancienne gaieté.

— Oh ! Elle semble plus attentive à son vieux
malade qu'à qui que ce soit ! Et vous, vous avez
besoin qu'on s'occupe de vous, Roz.

Nigel avait raison, pensait la jeune fille en
montant en voiture. Elle n'était pas drôle à fré-
quenter ces jours-ci. C'était vraiment chic à Nigel
de s'en préoccuper.

Elle regrettait de ne pouvoir mieux dissimuler
son immense chagrin. Les seuls moments où elle
se reprenait un peu étaient ceux qu'elle passait
près de son oncle. Il était plus gentil, plus attentif qu'il ne l'avait jamais été.

Son rôle de Quenild ne lui pesait pas moins
qu'aux premiers jours, malgré un pronostic opti-

miste de Colley. Certes, elle adorait la pièce, en découvrait chaque jour des beautés cachées, des aspects différents. Mais son rôle l'angoissait de plus en plus. Elle n'avait pas de présence, pensait-elle souvent.

Et puis, il y avait Tom... Elle ne l'avait vu que de loin depuis qu'il avait été si cruel avec elle.

Comment avait-il pu penser un seul mot de ce qu'il lui avait dit ? Non... il avait été malveillant, simplement parce qu'il s'était mis à la détester. Peut-être à cause de certains bavardages d'Andrina ? Ils étaient toujours ensemble ! Roz soupira.

Ignorant son regard las, Nigel l'avait bousculée hors de la Grange et mise en voiture. C'était un merveilleux après-midi d'hiver.

A quelques kilomètres de là, ils traversèrent une rivière en crue. Avec étonnement, Roz s'entendit rire aux plaisanteries de Nigel.

Brillside était un village isolé sur la colline. Les maisons s'y pressaient les unes contre les autres pour se protéger contre le vent. Au loin, la mer rousse de la lande ondulait.

— Le décor de « Héritage », dit Roz, frappée par l'atmosphère.

— Tout à fait.

Ils errèrent dans les ruines d'une église. Une porte en plein ceintre était encore debout. Des débris de vitraux s'accrochaient aux ouvertures en ogive de quelques pans de murs.

— Construite par des moines, expliqua Nigel. On raconte qu'elle est hantée.

— Vous me faites frissonner !

— Bien possible ! la taquina-t-il. Il fait bigrement froid ici. Venez ! J'ai retenu une table.

Dans l'odeur de fumée du feu de bois, le restaurant était sympathique. Devant un excellent repas, Roz se détendit. Elle remercia Nigel de l'avoir amenée.

— C'est si gentil à vous ! Vous faites toujours pour moi beaucoup plus que je ne mérite.

— Peut-être ai-je envie de quelque chose, en échange ?

— Vous êtes stupide, Nigel !

— Si je vous disais que je vous aime bien, Roz, que répondriez-vous ?

— Je répondrais que j'en fais autant.

— Vous manquez d'imagination aujourd'hui, Roz ! Et vous vous prenez pour une actrice !

— Vous savez bien que non ! s'écria-t-elle. Et je crois bien comprendre aussi ce que nous éprouvons l'un pour l'autre. Vous avez été très chic avec moi depuis que je vous connais, Nigel. Je vous aime bien ! A part mon oncle, vous êtes celui que j'aime le mieux à Stonebridge.

Nigel fut bouleversé par ce regard noyé de larmes. Quelle curieuse fille ! Spontanée, généreuse, bonne, unique ! Lui, généralement bavard, resta un long moment sans parler, puis :

— Si nous regardions d'un peu plus près ce verbe aimer bien que vous venez d'employer ? Ne pourrions-nous pas lui donner un peu plus de sens, de chaleur ? Plus tard, peut-être ? En fait, Roz, je ferais beaucoup mieux de vous dire que... que je vous aime-tout-court.

— Oh ! Nigel ! Ce ne peut être vrai ! Il y a

tant de filles qui tournent autour de vous ! Vous avez juste été gentil avec moi. Très gentil !

Il ne put s'empêcher de rire.

— Vous êtes étonnante, Roz. Vous voilà très sincèrement en train de trouver très gentil celui qui vous informe qu'il vous aime ! Et, la semaine dernière, vous vous êtes excusée quand, une fois de plus, Andrina a marché exprès sur votre robe de Guenild.

— Oh ! Nigel ! C'était machinal !

— Bon ! Ne vous éloignez pas du sujet, chérie. Est-ce que Tom et vous ?... Inutile d'essayer de ménager mes sentiments.

Sa voix était insouciante mais, avec Nigel, cela ne voulait rien dire.

— Non, dit Roz doucement.

Ce soir-là, elle s'habilla pour la représentation d'un cœur plus léger. Mais elle était toujours très nerveuse avant d'entrer en scène. Heureusement, il n'y en avait plus que pour deux semaines. Puis, elle retournerait sans regrets à ses accessoires, à ses raccommodages et aux raccords de peinture.

Cependant, elle accueillit Colley d'un sourire. Il était si gentil avec elle !

— Mes leçons vous ont profité, dit-il en l'examinant d'un regard attentif. Vous savez vous maquiller. Et cette perruque vous va très bien. Un petit chef-d'œuvre, notre Roz ! A propos, vous connaissez la nouvelle ?

— Oui. Ellen reprend « La Mégère » après
« Héritage ».

— Je ne parle pas de çà ! C'est déjà une
vieille histoire ! C'est au sujet de la Comédie. Il y
a des rumeurs...

— On pourrait donc espérer ?

— Il paraît. La commission de l'Environnement serait partisan de conserver le bâtiment. Ce
serait un joli retournement de situation, hein ?

Ce soir-là, Roz eut du mal à se concentrer.
De plus, la présence de Tom, aperçu au fond de
la salle, n'arrangeait rien...

Elle avait hâte d'être de retour au Dene.

Malgré l'heure tardive, son oncle n'était pas
couché.

— Oh ! Arthur ! J'avais tellement peur d'être
obligée d'attendre à demain pour vous parler !

— Si pressée ? Comment était la représentation aujourd'hui ? J'espère que Nigel Norton réussit sa percée dans le monde de l'enseignement ?

Roz n'écoutait pas. Elle s'était agenouillée
devant le feu et contemplait les flammes. Quand
elle se retourna vers son oncle, son regard était
sévère.

— Vous m'avez bien eue, n'est-ce pas,
Arthur ?

Celui-ci posa, puis ferma son stylo et fit de
même pour le dossier qu'il était en train d'annoter.
Les jeunes filles qui jetaient leur manteau par
terre en entrant et jouaient la comédie dans les
granges désaffectées semblaient lui être incompré-
hensibles.

— Pourriez-vous traduire, Rosalind ?

— J'ai l'impression que vous me menez en bateau depuis longtemps, dit-elle. J'en suis même sûre.

— Vous parlez par énigmes. Avez-vous décidé de jouer un rôle de sphynx ce soir ?

— C'est vous le sphynx ! Et puis, je vous ai entendu chanter dans votre bain, ajouta-t-elle avec un regard accusateur.

— Je chante souvent en prenant mon bain.

— Pas depuis que je suis là. Surtout un air de musique pop. Pourquoi êtes-vous si joyeux ?

— Je le suis toujours.

— Ah ! Non ! Fermé comme une huître, plutôt. Ou un coffre-fort.

— Et... vous connaissez la combinaison ?

— Peut-être. Arthur, que se passe-t-il pour la vieille Comédie ? Vous savez l'importance que j'attache à cette question. J'y pense constamment. J'évite de passer dans les environs tellement ce bâtiment aux volets clos me fait de peine. Et maintenant... Il paraît qu'il y aurait quelque chose de nouveau, d'important ! Est-ce vrai ?

Arthur passa sa main dans sa barbe.

— Je vous en aurais parlé de toute façon, Rosalind.

— Vrai ?

— Bien sûr. Ecoutez, j'ai simplement envoyé au ministère de l'environnement...

— Oh ! oncle Arthur !

— Avez-vous fini de sauter comme un cabri ? Attention à mes papiers !

... envoyé un rapport insistant sur le rôle historique de cette construction dans notre cité, sur certaines particularités de sa construction...

— Vous les avez découvertes, étudiées ? Oh ! Arthur !

— J'ai préparé le document, Rosalind, mais l'homme qui a fait tout le travail, et quel travail ! L'homme qui a fait toutes les recherches, c'est votre ami, Tom Burrel. Il y a passé tous ses moments de liberté, inventorié toutes les archives. Un travail gigantesque... Et un curieux garçon. Surtout quand on sait qu'il allait à l'encontre des vœux de son père...

Arthur se mit à rire.

— Il est vrai que ce n'était pour Jack qu'une question de vanité. Il avait commencé la campagne, rédigé des articles, il ne voulait pas avoir eu tort.

Tom !... Tom !... Oh ! Dieu ! Mais elle y penserait plus tard. Pour l'instant... Elle se mit à bombarder son oncle de questions. Est-ce qu'Ellen savait ? Est-ce que c'était sûr au moins ? etc.

Arthur retrouvait par miracle la fille pétillante et joyeuse, heureuse de vivre qu'elle avait été au début de son séjour. Il était ravi de pouvoir répondre : « oui, les plus grandes chances existaient. Oui, Ellen était au courant. C'était à cause de son bureau, justement... »

— De son bureau ?

— Oui, Roz. Au début du XVIIIe siècle, la maison était habitée par un homme qui a émigré ensuite aux Etats-Unis, et s'y est tellement distingué dans de nombreuses batailles qu'il est devenu un héros national. Tom l'a appris en rencontrant

un historien américain qui écrit l'histoire de ce
valeureux guerrier : un nommé Confort Hackness.
C'est à cause de lui que la Comédie devient intouchable, et que la route devra suivre un autre tracé.
Allez dormir maintenant, ma petite fille.

— Ils vont sans doute mettre une plaque...
murmura Roz, rêveusement...

*
**

Il n'y a pas que les peines qui empêchent de
dormir. Roz mit très longtemps à trouver le som-
meil et s'éveilla très tôt, le lendemain. Bien que
le jour fût à peine levé, le ciel promettait une
journée ensoleillée. Les oiseaux l'avaient sans doute
déjà compris. Ils pépiaient à qui mieux mieux.

Roz regarda un grand moment les arbres du
parc, dont la masse cachait en partie les ruines de
l'ancien château. Que lui avait donc dit Tom à ce
sujet, quand il l'avait accompagnée, le premier
jour ? Ah ! Oui ! Un coin merveilleux pour les
amoureux.

Tom... Il l'avait passionnément embrassée un
jour, serrée dans ses bras... Elle en ressentait
encore un trouble infini. Et maintenant... ?

Il n'était plus temps de se recoucher. Roz fit
sa toilette et fila en direction de la Comédie. Elle
avait envie de revoir son visage de vieille coquette,
ses entrelacs et ses chérubins.

La ville était déjà éveillée et affairée. Au marché, les légumes étaient déjà arrivés mais pas
encore dressés en pyramides. Le théâtre était clos.
De vieilles affiches assez poussiéreuses, certaines

même boueuses, conservaient encore quelques
lignes et des portraits d'Andrina, dans « *Comme
il vous plaîra* ».

Devant la porte, une feuille de chou traînait,
épaisse, striée de grosses nervures, comme des
rides. Roz la ramassa.

— Vous n'êtes pas en retard, au moins ! Vous
voilà contente ?

Cette voix ! Roz sursauta.

C'était bien Tom, la gabardine négligemment
jetée sur l'épaule. Le ton était si rude, si méchant,
qu'elle se sentit pâlir atrocement. Mais Tom ne
la regardait pas. Il fixait le théâtre aux volets fer-
més.

— Je pense que vous parlez du... du théâtre ?
Evidemment, j'étais anxieuse de savoir...

— Ne le soyez plus. Il est intouchable désor-
mais. Jolie conclusion, n'est-ce pas ? Çà vous
arrange ?

— Mais... Je... enfin, Je pensais que vous
seriez heureux... C'est vous qui...

Elle renonça à poursuivre. A quoi bon ? Elle
tenait toujours la feuille épaisse dans sa main, et
la tripotait nerveusement.

— Je suis heureux pour la ville, dit Tom
d'une voix froide. Arthur vous a mise au courant ?
Lui non plus n'aime pas qu'on démolisse quelque
chose d'intéressant. De plus, moi, je suis auteur.
Je ne tiens pas à voir détruire un théâtre...

Il s'était appuyé au mur et la fixait comme
on toise un adversaire. Comme elle ne répondait
pas, il reprit :

— Maintenant, venons-en à votre avenir d'actrice. Je comprends pourquoi vous êtes ici d'aussi bonne heure. Il vous tardait de revoir le lieu de vos futurs exploits, de vos prochains triomphes...

— Tom... Mais de quoi parlez-vous ? Je ne suis pas, je ne serai jamais une actrice ambitieuse. Et je n'admets pas que vous me parliez de cette horrible façon.

Elle avait, d'un geste instinctif, porté la main à ses yeux.

— Oh ! Ne me jouez pas la comédie de l'émotion, s'il vous plaît ! Je sais que les actrices y sont adroites. C'est leur métier. Andrina n'est pas seule à être ambitieuse.

Roz recula comme s'il l'avait giflée.

— Oh ! Pourquoi essaierais-je de m'expliquer avec vous, cria-t-elle, désespérée. Vous *voulez* me croire ainsi. Quand Jany Hale reviendra et que je ne jouerai plus à sa place, vous trouverez une autre raison de me détester. Si encore, je savais pourquoi !

Elle s'enfuit en sanglotant. Aveuglée par les larmes, elle évita de justesse un énorme camion en traversant la rue.

Un bras saisit le sien si violemment qu'elle poussa un cri.

— Idiote ! Vous voulez vous faire tuer ?

Tom serrait encore son bras furieusement. Son visage contracté était impressionnant.

Quand Roz voulut lui échapper, il la tint plus étroitement encore. Et réussit à l'entraîner vers l'entrée d'une boutique encore fermée.

— Je ne vous laisserai pas partir. Cessez de lutter.

— Si. Lâchez-moi ! sanglotait Roz. S'il vous plaît, laissez-moi ! Je ne sais pas ce que je vous ai fait, mais ne me faites pas souffrir encore. Je ne pourrais plus le supporter.

La tenant toujours, il demanda :

— Répondez-moi, Roz. Oh ! S'il vous plaît, cessez de pleurer ainsi. Je ne puis le supporter. Je regrette tellement... Oh ! Roz ! Çà va mieux ? Là ! Calmez-vous ! Et répétez-moi, Roz, ce que vous avez dit tout à l'heure, au sujet de Jany Hale. Vous ne *voudrez* plus jouer quand elle sera revenue ?

— Bien sûr ! Cela me rend tellement nerveuse ! Chaque soir, j'en suis malade ! Mais pouvais-je refuser... votre pièce... Tom !...

Il la regarda alors avec ce sourire miraculeux qu'elle n'avait jamais pu oublier.

— Ainsi, Tom, vous me détestiez parce que vous me croyiez une actrice ambitieuse ? dit-elle lentement, incrédule. Comment avez-vous pu croire cela ? A cause de mon père ?

Comme il se taisait, elle reprit :

— Je pense que l'ambition dévore les gens comme un loup dévore un agneau. Comment avez-vous pu me croire ainsi ?

— Parce que je suis un idiot.

Il y eut un silence.

— Pourtant, dit Roz, vous auriez pu comprendre. Votre Andrina...

— *Mon* Andrina ?

— Oui... Je... enfin, vous vous aimez non ?

— Qu'est-ce qui a pu vous mettre dans la tête cette idée grotesque ?

Il semblait réellement stupéfait.

— Andrina a du talent. J'ai écrit ma pièce pour qu'elle la joue... Et j'ai eu assez de mal à ce qu'elle le fasse comme je le désirais... Des heures et des heures de travail ! Mais, l'aimer ? Quelle sottise !

— Ainsi là aussi, je me trompais ? soupira Roz.

Brusquement, elle se sentait lasse à mourir. Tom et elle n'étaient plus adversaires, mais il n'y avait plus rien entre eux.

Ils longèrent la rue pavée qui menait vers le Dene. Et, brusquement, Tom l'attira à l'abri d'une arche de vieilles pierres.

Elle s'adossa péniblement au mur. Tom lui faisait face ; les deux mains appuyées au mur de chaque côté de la jeune fille.

— Je dois partir, murmura-t-elle.

Mais elle ne pouvait bouger.

Tom sembla découvrir alors ce que sa colère lui avait caché jusque-là : les cernes noirs autour des yeux trop grands, les joues creusées et trop pâles. Tout en elle indiquait l'épuisement.

— Oh ! Chérie ! murmura-t-il en l'embrassant.

— Non... Tom... Non..., dit-elle faiblement.

Et, un moment plus tard, c'est elle qui mit ses bras autour du cou de Tom, l'embrassant comme si son cœur allait éclater.

— Vous savez bien que je vous aime, Roz, dit-il en relâchant un peu son étreinte.

— Non... Je... Je ne crois pas...

— Pourquoi pensez-vous que j'ai été si cruel ? Depuis cette nuit où je vous avais emmenée chez

moi, vous avez été si étrange... Distante, plus du
tout vous-même. J'ai cru... Tout le temps que je
travaillais avec Andrina, vous me hantiez. Votre
doux sourire, votre fin visage, vos cheveux, même
votre accent du Sud... Oh ! Roz ! Je vous ai probablement aimée à la minute où vous avez ren-
versé votre sac dans la boue devant moi. Non,
chérie ! Vous n'allez pas repleurer...

*
**

Une note brève épinglée à la porte de la
Grange demandait une réunion générale sur le
plateau à cinq heures.

Roz avait été amenée par Tom et vigoureuse-
ment embrassée avant de quitter la voiture.

— Je vous verrai avant la représentation,
chérie. Oh ! Roz ! que de choses nous avons à
nous dire...

A la porte, un groupe animé discutait la note
signée d'Ellen. Colley lança à Roz un coup d'œil
entendu. Elle chercha Nigel du regard. Il était
invisible. Elle aurait tellement voulu lui faire part
de son bonheur. Elle avait besoin de son appro-
bation, de ses taquineries, même ! Mais quand
Ellen, suivie de Stanley parut, il était toujours
invisible. Andrina manquait aussi.

— Quelques-uns d'entre vous ont sans doute
une bonne idée de ce que je vais vous apprendre,
commença la directrice.

Et Roz se prépara à entendre pour la deuxième fois parler de la commission des sites, de
Tom et d'un héros américain.

Dès l'annonce de la nouvelle, tout le monde avait applaudi. Le tapage recommença quand on pensa qu'Ellen avait terminé.

— J'ai encore autre chose à vous dire. Malgré notre retour à la vieille Comédie, nous garderons la Grange. Monsieur Burrel nous consent un nouveau bail... à prix réduit.

Il y eut quelques rires peu respectueux.

— Nous aurons donc deux salles : notre rêve ! Les pièces classiques en ville et les modernes, la recherche, ici.

Les exclamations fusaient. Tout le monde parlait à la fois. Roz rejoignit Stanley.

— Avez-vous vu Nigel ?

Il apparut exactement à cet instant, suivant Andrina, fort surprise de la nouvelle.

Elle félicita Ellen d'un air absent et annonça immédiatement qu'elle quittait la troupe. Elle venait de signer un contrat de cinéma très avantageux.

Nigel s'était dirigé très rapidement vers Roz.

— Je suis sûr que les nouvelles qu'Andrina m'a données à l'aéroport sont vraies, chérie..., rien qu'à vous voir. Qui donc m'avait raconté qu'il n'y avait rien entre Tom et vous ?

— Mais... Comment pouvait-elle le savoir déjà ? Moi-même... ce matin...

— Elle a téléphoné à Tom pour qu'il l'emmène à l'aéroport. Il en a profité pour lui annoncer la nouvelle. Andrina était plutôt vexée, je puis vous l'assurer. N'oubliez pas de dire à Tom que je m'attends à ce qu'on fête vos fiançailles au champagne.

Le ton de Nigel était aussi léger que d'habitude mais son regard était triste...

Tom attendait Roz à la porte. Elle courut vers lui et il l'entraîna au-dehors pour l'embrasser.

— Hum, dit-il ensuite en fermant les yeux. Je ne pouvais plus me supporter au bureau. Encore un baiser, chérie, et, après, nous ferons mieux de partir.

— Pour aller où, chéri ? Je dois bientôt m'habiller pour la représentation.

— Vous avez bien le temps ! Nous avons une visite importante à faire.

Il la prit par le bras et ils coururent vers la Grange. Le forsythia avait éclaté en un bouquet de feu d'artifice couleur or. Tom cueillit une fleur au passage pour Roz.

Il y avait un bon feu dans le grand salon et, quand Roz y pénétra, elle eut l'impression d'un changement subtil dans l'atmosphère de la pièce. Etait-ce le labrador, vautré sur le tapis devant le foyer ? Ou les jacinthes qui commençaient à fleurir dans la pièce bien chaude ? Ou Jack Burrel confortablement allongé sur le sofa, ses lunettes au bout du nez, et au moins sept ou huit exemplaires du « Post » autour de lui ?

— Ah ! Vous voilà ! En retard tous les deux !

Ils le regardèrent, étonnés.

— Ne restez pas plantés au milieu du salon. Asseyez-vous.

Tom agrippa la main de Roz et la conduisit vers un grand fauteuil où ils s'installèrent tous les deux, le bras de Tom enserrant la taille de Roz.

— Je pense que je dois vous féliciter, marmonna Jack.

— Ce serait une bonne idée, répondit son fils
en souriant.

Sans tenir compte de la réponse de Tom,
Jack se tourna vers Roz et la regarda longuement.

— Je parierais qu'il ne vous a pas encore
demandé de l'épouser, jeune dame !

— Eh bien !... vous avez raison !

— Vous ne... vous ne lui avez pas encore
demandé, c'est vrai ? Vous n'avez aucun bon sens,
alors ?

— En effet, papa, répondit Tom en se tournant pour embrasser Roz. C'est exactement ce que
je pense...

FIN

Achevé d'imprimer
le 23 février 1978
sur les presses
de l'imprimerie Cino del Duca,
18, rue de Folin, à Biarritz.
N° 857.

Dépôt légal n° 378.   1er trimestre 1978.